Pour Maureen et Antoine,

cette histoire japonaise,

Avec toute mon affection.

Tokyo, le 12 mai 2012

SAYA

Du même auteur

La Trace
Seuil, 2007
et « Points », nº P2168

RICHARD COLLASSE

SAYA

roman

ÉDITIONS DU SEUIL
*27, rue Jacob, Paris VIe*

ISBN 978-2-02-099899-4

www.editionsduseuil.fr

1

Jinwaki

J'en étais à quatre paquets par jour. À peine levé, avant d'entrer dans la salle de bains, j'allumais ma première cigarette. Je fumais même en me rasant. C'est une façon comme une autre de se suicider, mais il y a plus radical : par exemple, se jeter sous le train de la ligne Yokosuka.

J'y ai pensé. J'y pensais tous les matins, sur le quai de la gare, depuis cinq mois. Depuis que j'avais été convoqué par mon supérieur hiérarchique.

C'était pourtant une belle journée en perspective. Ce matin-là, quand j'ai quitté la maison, les ginkgos biloba avaient la teinte rousse annonciatrice de l'automne. Bien sûr, comme tout le monde dans l'entreprise, je sentais la sourde inquiétude que suscitait la restructuration dont les journaux et la télévision parlaient. Notre président avait poursuivi une politique de fuite en avant que nous qualifions de « prises de position audacieuses » à l'époque faste de la bulle financière. Nous étions fiers de tous ces grands magasins flambant neufs qu'il faisait construire en plein milieu des rizières. Nous respections son entregent politique qui lui permettait d'obtenir des gouverneurs de région la construction d'infrastructures routières pour desservir nos points de vente. Nous admirions sa capacité à surmonter les obstacles, à les balayer, à les pulvériser de sa puissance. À Nara, où les premiers coups de pelleteuse avaient révélé des artefacts de l'époque Heian, il lui avait suffi de donner quelques coups de fil pour envoyer au diable les archéologues qui s'étaient installés sur le chantier. On a ainsi enterré un patrimoine inestimable sous des tonnes de béton et de ferraille qui, désormais, rouillent sur place : Nara a été un des premiers magasins à être sacrifié. J'en sais quelque chose, j'ai fait partie de l'équipe chargée de liquider les stocks du prêt-à-porter de luxe après en avoir été le chef de rayon depuis l'ouverture.

À Yokohama, où j'ai été muté, le magasin était le fleuron de notre société, son bateau amiral. Le président en avait confié les commandes à son propre gendre. Je me suis dit comme tous mes collègues qu'un navire de cette taille prendrait peut-être l'eau un jour, mais pas au point de couler. Sans être dans le peloton de tête, j'étais le patron de l'étage des marques de prestige, la voie royale pour atteindre les sommets. J'étais parvenu à obtenir des grandes maisons qu'elles ouvrent des boutiques chez nous, ce qui n'était pas gagné d'avance. Diplômé de l'université Keio, j'avais de l'avis de tous choisi le bon clan, celui du gendre du président. Nous étions de la même promotion et avions fait partie du même club de rugby. Forcément, cela crée des liens.

Après vingt ans de loyaux services, malgré les turbulences du moment, j'étais sur la bonne rampe de lancement. D'ailleurs, loin d'être une menace pour moi, cette restructuration était plutôt une opportunité. Elle allait créer un appel d'air dont je profiterais sans avoir à fournir d'effort particulier. Un quarteron de vieux chefs de rayon sans ambition, trop grognons et mal notés allait sauter, cela ne faisait pas l'ombre d'un doute. Quand je me suis rendu à la convocation de mon supérieur, j'étais serein malgré le caractère inhabituel de la procédure – il avait plutôt tendance à m'inviter au Club L., après la fermeture du magasin, pour parler affaires avec moi.

Je suis arrivé à mon rendez-vous avec cinq minutes d'avance. La salle d'attente puait la fumée froide. Je ne supporte pas l'odeur de la cigarette des autres. J'ai ouvert la fenêtre qui donnait sur un mur aveugle et je me suis enfoncé dans un sofa fatigué. J'ai réfléchi aux postes qu'on allait me proposer en regardant autour de moi. On avait oublié d'allumer le néon du plafonnier. Pas un instant je n'ai pensé qu'on avait pu le faire à dessein, pour me mettre en condition. La porte de la salle du département s'est finalement ouverte. Une assistante que je ne connaissais pas, une intérimaire sans doute, m'a prié de la suivre. De l'autre côté, la lumière crue m'a aveuglé. Les employés avaient le nez rivé sur l'écran de leur ordinateur. En comparaison, mon bureau, un réduit encombré de boîtes de chaussures et de portants, me paraissait presque agréable. Mais c'était là le saint des saints. « Le pouvoir justifie bien quelques concessions », ai-je pensé en slalomant entre les chaises et les corbeilles à papier derrière la jeune femme qui me guidait vers la salle de réunion réservée au directeur de la division. Tout à la contemplation de son joli mollet tendu sous le nylon de son bas, j'ai à peine remarqué les regards furtifs que me jetaient mes collègues.

Sans attendre l'arrivée de mon supérieur hiérarchique, je me suis installé dans un fauteuil en face du sien. Après tout, cela faisait près de vingt ans que nous travaillions ensemble. La chance aidant, il était simplement allé un peu plus vite que moi.

Il est entré en coup de vent et a claqué la porte derrière lui, ce qui m'a fait sursauter. Il s'est affalé dans son fauteuil, a posé ses coudes sur son bureau et croisé les mains devant lui. Il m'a dévisagé quelques instants avant de prendre la parole.

« Tu m'as l'air bien nerveux. Tu ne devrais pas fumer autant, c'est mauvais pour la santé. Et puis l'odeur… ce n'est pas raisonnable, pour un directeur d'étage en contact permanent avec la clientèle. » Il a sorti un paquet de Peace de la poche de sa veste. « Tu en veux une ? »

J'ai décliné, déconcerté par cette entrée en matière.

« Où en sont les ventes ? Cela n'a pas l'air d'aller fort, cette saison, pour P. Quand vont-ils enfin se décider à créer des collections vendables ? Ils n'ont pas encore compris que faire du jeunisme avec une griffe prestigieuse, cela ne suffit plus ? »

Il avait cette manie de nommer les marques que nous vendons

par leurs initiales. C'était déroutant. J'ai toujours pensé qu'il le faisait exprès. Il poursuivait son monologue :

« Sans compter qu'avec la douceur de l'automne cette année on ne vend pas les grosses pièces, les manteaux trois-quarts, par exemple. B. a fait une belle connerie en nous forçant à en acheter autant, tu ne crois pas ? »

Il a allumé sa cigarette avec un briquet Dupont désuet. Encore une fois, il n'a pas attendu ma réponse. De toute façon, il se souciait bien peu que je lui commente les performances de mon étage.

« Bref, ce n'est pas brillant, pas vrai ? »

J'ai gardé le silence. Quel argument aurais-je pu lui opposer ? Nous avons besoin des marques pour survivre mais ne savons pas comment les gérer.

Mon supérieur a repris la parole :

« J'ai l'impression que tu ne te rends pas compte de la gravité de la situation. »

Je me suis enfin décidé à lui répondre :

« Cela fait un moment qu'elle est alarmante, non ? Ce n'est pas parce que mon étage ne fait pas le chiffre d'affaires souhaité que nous allons nous écrouler, tout de même ! Entre les difficultés conjoncturelles et les conneries structurelles, il y a un abîme ! »

C'était plus fort que moi. Il avait fallu que je dise tout haut ce que nous pensions tous sans exception.

« Tss, tss, tss », a-t-il fait en secouant la tête.

Il a écrasé sa cigarette dans le cendrier, en a allumé une autre. Il a tiré deux ou trois longues bouffées puis il a poursuivi de sa voix un peu nasillarde aux accents du Kansai * :

« Mon pauvre vieux, tu n'as vraiment rien compris ! Cela fait des semaines que tu te planques dans ton trou à rats. Tu crois que si tu évites de te montrer on finira par t'oublier. Mais tu es coupé de la réalité, de la rumeur, de l'air du temps. En fait, cela remonte à bien plus longtemps… à ton retour de France, pour être précis.

* Région ouest du Japon.

En acceptant ce poste à l'étranger, tu as quitté sans t'en rendre compte la voie royale. À cette époque, tu ne pouvais pas savoir. Personne ne pouvait savoir. C'était prestigieux, la France ! Ton prédécesseur, lui, avait hérité de la direction du magasin de Kure. Mais les temps ont changé, Jinwaki : depuis, les pièces du jeu de go ont bougé. »

Il parlait sans me regarder, fixant un point derrière moi, sans doute ce tableau de Hirayama Ikuo représentant une pagode quelque part dans une île de la mer Intérieure. Au moins, on n'avait pas encore bradé tout le patrimoine de la société.

« Qu'es-tu en train d'essayer de me dire ? Tu ne m'as tout de même pas convoqué pour me parler de Paris !

– La restructuration ne fait que commencer. C'était cela ou la faillite. On doit sauver le groupe. Il faut accepter des sacrifices pour le bien de la communauté. Tu les comprends, Jinwaki, ces mots : "sacrifice", "bien de la communauté" ? Ou bien les aurais-tu oubliés en France ? »

Son regard continuait à se promener le long du mur derrière moi. S'était-il jamais rendu en mer Intérieure ? Il a de nouveau tiré sur sa cigarette et s'est enfin décidé à m'expliquer la raison de ma présence dans son bureau.

« Jinwaki, tu es de la prochaine fournée. C'est le comité de restructuration qui a pris la décision. Ils vont te convoquer pour t'expliquer les modalités de ton départ. Je suis désolé, mon vieux. Je n'y suis pour rien. Vraiment pour rien. Si cela n'avait tenu qu'à moi… »

Il a écrasé son mégot en haussant les épaules puis, sans me donner le temps de réagir, il s'est levé et a quitté précipitamment la pièce, me laissant seul avec le dernier nuage de fumée qui se dissipait lentement vers le plafond jauni.

Abasourdi, assommé, j'ai eu le temps de murmurer « Salaud » avant qu'il ne referme la porte derrière lui.

Pour lui, je n'existais déjà plus. Et, sans la carte de visite de l'entreprise où j'étais entré vingt-cinq ans plus tôt, je n'existerais bientôt plus pour personne.

2

Kaori

Je me suis levée ce matin comme d'habitude, à cinq heures, pour préparer la boîte de déjeuner de Satomi. Elle a beau être en deuxième année, ma fille refuse de manger à la cantine de l'université et réclame son bento tous les jours, comme quand elle était encore au collège. Cela ne me dérange pas, j'en suis plutôt heureuse : j'ai l'impression d'exister un peu à ses yeux, bien qu'elle m'ignore, m'adresse à peine la parole lorsqu'elle rentre le soir, de plus en plus tard, si tard qu'elle va bientôt finir par arriver après son père.

Lui, je ne l'attends plus depuis longtemps. Je me contente de laisser un bol de soupe de miso et les reliefs du dîner sur la gazinière. Il y a toujours du riz dans la marmite : je suis obligée d'en faire cuire la veille pour le bento de Satomi. Je m'assure qu'il y a des canettes de bière dans le réfrigérateur, de l'Ebisu, celle qu'il préfère. Je laisse aussi un ou deux paquets d'amuse-gueule sur la table, des pois chiches au wasabi et des lanières de seiche au fromage. Il en raffole. Alors seulement, j'ai le sentiment du devoir accompli. C'est important pour l'équilibre des familles, le sens du devoir. Peu importe à mon mari qu'il n'y ait rien à manger, pourvu qu'il y ait de la bière glacée et de quoi grignoter. Question nourriture, je dois avouer qu'il n'est pas très difficile. Le contraire de sa mère, qui m'a si souvent reproché de n'être pas un cordon-bleu. Elle est grabataire depuis cinq ans, mais si le reste ne suit plus, elle sait encore faire fonctionner ses mandibules.

Je devrais dire « savait », car depuis quelques jours elle ne s'alimente plus beaucoup. Elle est en train de baisser. Sa voix ne porte plus, mais elle a toujours ce ton autoritaire qui me glaçait lorsque j'étais jeune mariée.

Cette nuit, elle m'a appelée à trois heures du matin. Je ne l'ai pas entendue tout de suite. Elle me l'a reproché lorsque je suis entrée dans la pièce à tatamis où nous l'avons installée après le décès de mon beau-père. Elle avait encore fait sous elle. Il a fallu que je change la literie en pleine nuit. Cette femme n'est plus qu'un vieux sac d'os, mais elle est terriblement lourde. Je suis certaine qu'elle fait exprès de peser de tout son poids quand je fais sa toilette ou que je l'habille. Elle n'est pourtant paralysée que des membres inférieurs. Elle pourrait faire un effort, mais elle préfère rester immobile, comme une poupée de Bunraku * dont on aurait coupé les fils. C'est tout juste si elle tend les bras pour les passer dans les manches du kimono que je lui présente, il est vrai toujours trop haut ou trop bas afin de lui compliquer un peu la tâche. Je suis passée maître dans l'art de la cruauté à son égard, mais je reste discrète.

À présent, en m'activant devant la gazinière, je repense à toutes ces mesquineries que ma belle-mère m'oblige à inventer pour lui rendre un peu des blessures d'amour-propre qu'elle m'inflige depuis mon mariage. Déjà, le bento de ma fille est prêt, enveloppé dans son furoshiki. J'ai mis de l'eau à bouillir pour le café et le thé du petit déjeuner et les toasts à rôtir. S'il n'y avait que mon mari et mes enfants à nourrir le matin, ce serait facile : ils se contentent d'une tranche de pain de mie avec un peu de confiture dessus, de yogourt Koiwai, de quelques fruits de saison et de leur café.

Ma belle-mère, elle, a toujours exigé un petit déjeuner traditionnel. Je suis donc obligée de préparer pour elle un repas japonais complet, avec soupe de miso, poisson du marché, riz et condiments,

* Théâtre de marionnettes.

tous les jours différent car elle refuse de manger deux matins de suite la même chose.

J'ai fini de faire rôtir sa darne de saumon, puis j'ai mis sur un plateau les baguettes et un oshibori, une assiette sur laquelle j'ai disposé le poisson avec du radis noir râpé et un filet de sauce de soja, ainsi que les bols de riz et de soupe de miso, les condiments et la boîte à couvercle dans laquelle se trouvent les algues séchées. J'ai préparé le nécessaire à thé sur un plateau plus petit, avec la tasse, la théière, la boîte à thé vert et le pot isotherme rempli d'eau chaude.

Après avoir vérifié que personne n'allait entrer à l'improviste, j'ai sorti de la poche de mon tablier une pipette. C'est un autre tour que j'ai trouvé à jouer à ma belle-mère. L'idée m'en est venue au terme d'une semaine durant laquelle elle avait été particulièrement odieuse, insinuant que j'étais responsable du refus de son fils de reprendre l'affaire de son père.

Nous venions juste d'emménager dans cette grande maison, à Kita Kamakura, après notre retour de France, quand mon beau-père a fait faillite. J'avais caché les sceaux que nous utilisons pour les transactions officielles dans un endroit sûr, chez ma sœur, ce qui a empêché mon mari de se porter caution pour aider son père. Si je n'avais pas agi ainsi, nous aurions coulé avec lui. Dépouillés de tout, chassés par les usuriers de la mafia, qui leur avaient donné deux heures pour rassembler quelques affaires et quitter la propriété de famille à Kanazawa avec à peine de quoi prendre le train jusqu'à Tokyo, ils ont débarqué chez nous un soir, le visage hagard. Nous avons bien été obligés de les recueillir. Cardiaque et brisé de chagrin, mon beau-père s'est doucement laissé mourir : il ne supportait pas la honte d'avoir perdu une affaire que sept générations avaient patiemment construite. Nous l'avons enterré à peine un an après leur arrivée à Kita Kamakura. J'ai eu du chagrin : il était de bonne composition et j'avais de l'affection pour lui, même s'il mettait sa main un peu trop haut sur ma cuisse lorsque nous étions tous les deux seuls dans la cuisine.

Ce matin-là, donc, assise sur la cuvette dans les toilettes, je ruminais ma rancœur, les nerfs à vif, la bouche sèche de haine. « Combien de femmes mariées envisagent d'assassiner leur belle-mère et n'osent jamais passer à l'acte ? » me demandais-je. C'est en regardant le jet trouble de mon urine que j'ai imaginé de la faire boire à ma belle-mère en la mélangeant à l'eau de son thé. L'après-midi même, je suis allée acheter une pipette et un pot isotherme que je destinais à son usage exclusif. Dès le lendemain, je mettais mon projet à exécution. Je n'ai d'abord prélevé que quelques millilitres du gobelet en carton où j'avais recueilli ma première miction. Quand j'en ai transféré le contenu dans le pot où j'avais au préalable transvasé le thé de la bouilloire, mon cœur battait à se rompre. J'ai versé un peu de ce mélange dans une tasse de porcelaine immaculée pour observer la transparence du liquide, puis j'ai porté la tasse à mon nez. La couleur de l'eau n'avait pas changé et elle ne sentait strictement rien. Ne pouvant résister au bonheur de contempler ma belle-mère avaler le breuvage, j'ai trouvé un prétexte pour rester auprès d'elle pendant qu'elle prenait son petit déjeuner. Ma main tremblait un peu lorsque j'ai versé l'eau chaude dans la théière, mais elle a continué à regarder le feuilleton de la NHK – c'est notre seul point commun : suivre les épisodes du feuilleton matinal de la NHK, elle dans sa chambre, moi dans la cuisine. Elle a humé le thé un moment qui m'a paru une éternité, puis elle l'a ingurgité à petites gorgées satisfaites en aspirant bruyamment. Aussitôt, ma haine est retombée comme par magie : je venais de trouver une parade à ces pulsions de meurtre qui m'envahissaient de plus en plus souvent. Petit à petit je me suis enhardie et j'ai augmenté la dose d'urine dans le pot isotherme. Je me livre à cette petite cérémonie depuis maintenant quatre ans et, tous les matins, ma belle-mère ingurgite son thé frelaté. Une fois seulement, j'ai commis une imprudence. Le soir précédent, mon mari et moi nous étions régalés d'asperges ; or je ne me suis aperçue de l'odeur caractéristique de mon urine ce matin-là qu'au moment où j'ai versé le thé dans la tasse de ma belle-mère.

« C'est nouveau, ce thé à l'asperge ? » a-t-elle dit en portant le breuvage à ses lèvres.

J'étais persuadée qu'elle allait me jeter le liquide brûlant au visage.

« Oui… C'est… original, n'est-ce pas ? » ai-je balbutié.

Depuis cet incident, elle sait parfaitement que son breuvage matinal est frelaté par mes soins, mais sa fierté l'empêche de protester. C'est pour cela que j'ai aussi inventé le coup de la tasse de thé posée chaque jour un peu plus hors de son atteinte. Cela l'épuise, mais elle n'ose pas se plaindre non plus.

J'ai achevé de transvaser le contenu de la pipette dans le thermos. J'ai pris le plateau du petit déjeuner, que j'ai posé dans le couloir devant la chambre de ma belle-mère, puis je suis revenue chercher le nécessaire à thé dans la cuisine, où j'ai manqué entrer en collision avec Hideaki. Mon fils empeste le tabac et l'alcool, un mélange de gin et de soda. Il a encore passé la nuit devant des dessins animés et des jeux vidéo. S'il mettait autant de zèle à étudier au lycée, il entrerait à Todai sans problème.

« B'jour », a-t-il marmonné sans prendre la peine de s'excuser.

Où est passé le petit garçon turbulent qui m'épuisait mais dont la vitalité m'enchantait ? Aurait-il déjà brûlé toute l'énergie de sa jeune vie ? Je me demande en quoi mon éducation a à ce point failli pour que le résultat soit si désolant.

En apportant son thé à ma belle-mère, je ne peux m'empêcher de trouver ma propre vie désastreuse.

Heureusement, il y a Brad.

3

Jinwaki

Dans quelques semaines, on me convoquerait pour passer devant la commission présidée par le responsable des ressources humaines qui m'expliquerait les conditions de mon licenciement et la durée de mon préavis, puis on désignerait mon successeur, avec lequel je devrais organiser la passation de pouvoirs. Il me faudrait le présenter à nos fournisseurs, à moins qu'on ne décide de m'épargner cette humiliation et qu'on se contente d'envoyer l'habituel petit bristol froid annonçant mon remplacement. Ensuite, on me demanderait de rendre mon insigne de boutonnière, mon badge d'identité et mes cartes de visite, un peu comme on dégrade un officier en lui arrachant un à un ses galons.

L'apprentissage de l'anonymat social, je l'ai fait une première fois quand j'ai quitté la salle de réunion et que j'ai traversé le bureau des achats. Je m'attendais à y trouver le brouhaha habituel, mais c'est un silence de mort qui m'a accueilli. Pourtant, les employés continuaient de s'activer, les secrétaires passaient dans les allées en faisant claquer leurs talons sur le linoléum, les coursiers poussaient les chariots chargés de courrier à distribuer. C'était peut-être moi qui, déjà, devenais sourd à l'environnement dont j'étais sur le point d'être exclu.

Passant entre les alignements de bureaux pour gagner la sortie, j'ai eu le sentiment que plus personne ne remarquait ma présence. J'avais l'impression d'évoluer dans un monde parallèle d'où je continuais de les voir alors qu'eux ne me voyaient déjà plus. Une sourde appréhension m'a envahi. Je ne voyais pas comment je pourrais résister aux aléas de la vie une fois dépouillé de mon titre – « Jinwaki, Directeur, Division des Produits de Luxe du Grand Magasin S. » –, qui nous avait si bien protégés, ma famille et moi. Il allait me falloir apprendre à me présenter nu, fragile et vulnérable, sans ma carte de visite. J'avais perdu non seulement mon passé mais également mon avenir.

J'ai regagné mon bureau au troisième étage du magasin, slalomant entre les cartons de marchandises, bousculant sans m'en rendre compte les personnes qui se trouvaient sur mon passage. Les employées intérimaires s'arrêtaient pour me laisser passer en me saluant d'une brève inclination de la tête. Elles ne savaient pas, elles ne sauraient pas. Tout juste constateraient-elles que j'avais disparu et qu'un nouveau responsable m'avait remplacé, qui ânonnerait chaque matin avant l'ouverture des portes le même discours lénifiant supposé les encourager pour le reste de la journée. Nous étions interchangeables, tous sans exception. Même costume sombre, même coupe de cheveux, même absence d'imagination, même trajectoire sans histoires… Comment ne m'en étais-je pas aperçu plus tôt ?

Je suis entré dans mon bureau et j'ai fermé la porte. Je me suis contorsionné pour passer entre ma table de travail et un portant surchargé de vêtements de marque dont la valeur dépassait aisément six mois de salaire. Lorsque je me suis assis, le fauteuil à roulettes a grincé sous mon poids. J'ai ajusté le coussin crasseux et élimé que ma femme m'avait offert, bien longtemps auparavant, lorsque j'avais été promu à mon premier poste m'autorisant à disposer d'un bureau. Il était usé jusqu'à la corde, et j'aurais dû le jeter depuis longtemps, mais une superstition ridicule m'en avait empêché. Ironie du sort, j'étais persuadé que, s'il disparaissait, je perdrais mon poste : à présent, ce coussin pourri me narguait alors que l'impensable venait de se produire.

Soudain envahi d'une rage froide, je me suis mis à le déchirer.

Je suis resté un long moment, hagard, à regarder les lambeaux de tissu éparpillés sur le clavier de mon ordinateur, les dossiers empilés, le cendrier rempli à ras bord. De l'autre côté de la cloison, celle qui donne sur les toilettes pour dames, me parvenait le bruit de la chasse d'eau. Parfois, j'étais pris d'une érection incontrôlable. J'imaginais une jeune femme, culotte de dentelle noire sur les chevilles, en train de s'essuyer de sa main manucurée, le papier hygiénique délicatement plié entre ses doigts effilés. D'un geste langoureux elle remontait lentement entre les lèvres délicates de son sexe humide d'urine, effleurait son clitoris jusqu'à l'orée de sa toison… Il a fallu qu'une vendeuse vienne me demander de régler un problème d'encaissement pour que je sorte de mon hébétude. Elle a jeté un regard étonné sur ce qui restait du coussin mais n'a pas osé me poser de questions. Je l'ai suivie jusqu'à sa caisse. J'ai mécaniquement réglé le problème, visé le document administratif. Ensuite, au lieu de commencer la tournée des rayons et des boutiques sous ma juridiction pour faire le point sur nos objectifs, pour la première fois de ma vie, et sans prévenir personne, j'ai abandonné mon poste.

J'ai retiré le badge à mon nom accroché à ma boutonnière puis je suis descendu au rez-de-chaussée par un des escalators réservés à la clientèle et j'ai quitté le magasin par la sortie principale. Je me suis bientôt retrouvé, désorienté, sur l'esplanade de la gare. J'étais complètement déboussolé. Au lieu de prendre le train pour rentrer chez moi, j'ai emprunté le métro, direction Tokyo.

4

Kaori

Brad, c'est un chihuahua à poils longs et blancs, avec des taches chocolat sur le museau qui lui font une adorable petite frimousse. Sur son certificat, il se prénommait José Joaquín Fernández de Lizardi, mais c'était bien trop difficile à retenir. Il paraît que c'est le nom d'un écrivain mexicain de la fin du dix-huitième siècle. Je ne me voyais vraiment pas lui dire : « José Joaquín Fernández de Lizardi, viens manger ! » Ou encore : « C'est l'heure d'aller faire pipi, José Joaquín Fernández de Lizardi ! » Je l'ai donc rebaptisé Brad. C'est plus moderne et cela lui va très bien. Un jour, je lui offrirai peut-être une compagne. Mais il va falloir attendre un peu : Brad me coûte les yeux de la tête.

J'ai déboursé 331 000 yens pour l'acheter à l'importateur japonais d'un fameux éleveur américain. Au poids, c'est quand même cher payé : Brad ne pèse que deux kilos. Et puis, cela représente presque la moitié du salaire mensuel de mon mari. Je ne lui ai pas dit combien m'a coûté Brad : cela ne le regarde pas, je gère mon argent comme bon me semble. Il y a aussi les visites au vétérinaire, les aliments spéciaux pour son estomac de libellule, les séances de toilettage et de détartrage des dents, les petits vêtements pour qu'il ne prenne pas froid… Tout cela finit par plomber mon budget.

Quand j'y pense, c'est fou la place que ce petit chien a prise dans ma vie. Celle qu'ont désertée les enfants, celle que Jinwaki n'a jamais occupée… C'est un tel réconfort de sentir que quelqu'un a besoin de moi ! L'amour exclusif que me voue Brad me touche énormément. Jamais on ne m'a aimée comme il le fait.

Tous les matins, je passe un long moment à le caresser en regardant dans la cuisine mon feuilleton favori. J'adore enfoncer mes doigts dans son pelage, cela me rend toute chose, cette chaleur animale qui se communique jusqu'à mon intimité… Quand je le nourris directement, de ma bouche à sa gueule, poussant entre ses dents une boulette de riz, c'est encore pire ! Le soir, au moment où je me couche, il se précipite sous l'édredon et va se lover contre moi : je le sens frétiller sous ma chemise de nuit et, parfois, j'en ai des spasmes qui ressemblent à de la jouissance…

Il faut dire que la jouissance, je ne connais plus cela depuis une éternité. Depuis ma dernière grossesse, lorsque j'attendais Hideaki.

Seize ans que Jinwaki n'est pas venu me rejoindre sous la couette.

Au début, je comptais garder mon fils avec moi jusqu'à son sevrage. Au Japon, quand j'étais revenue de chez mes parents après la naissance de Satomi, nous avions rajouté un futon dans notre pièce à tatamis et Jinwaki dormait entre nous. Il venait me rejoindre après la tétée. Je n'en avais pas trop envie, mais nous étions jeunes et il était fougueux, surtout quand il rentrait un peu éméché d'un dîner avec ses collègues du magasin. Mais de retour à Paris, quatre mois après la naissance de Hideaki, il n'était pas question que Jinwaki couche dans un lit européen trop étroit pour nous trois. Je lui avais donc préparé un matelas dans la chambre des petits où il dormait très bien.

Cela aurait dû être provisoire, mais Hideaki est tombé malade et est resté si faible après que je n'osais pas le laisser seul la nuit. Il est donc resté dormir avec moi bien après ses douze mois. Nous sommes rentrés au Japon et nous avons continué ainsi jusqu'à sa quatrième année de communale.

C'est peut-être à cause de cela qu'il est si renfermé, je l'ai sans doute dorloté trop longtemps…

Jinwaki et moi avons continué de faire chambre à part ; à la longue, nous nous sommes aperçus que cela nous convenait fort bien.

Un soir pourtant, j'ai décidé d'aller retrouver mon mari dans sa chambre. J'avais une bonne excuse : c'était notre anniversaire de mariage. Ce jour-là, j'étais montée à Tokyo pour déjeuner avec quatre amies dans un de ces nouveaux restaurants français tenu par un jeune Japonais qui avait passé deux ans dans un célèbre établissement parisien. C'était avant que les grands chefs étoilés français ne viennent directement s'implanter au Japon. Pendant le repas, nous avons parlé de choses conventionnelles, l'éducation de nos enfants ou encore nos occupations favorites. Au café, encouragées par le vin que nous avions bu, nous sommes passées à des sujets plus intimes. J'ai orienté la conversation sur la manière dont les couples que nous connaissions fêtaient leur anniversaire de mariage. J'avais encore en travers de la gorge l'indifférence de Jinwaki.

« Sais-tu quel jour nous sommes, aujourd'hui ? lui avais-je lancé le matin même d'un ton acerbe.

– Oui, jeudi, pourquoi ? »

Une fois son café avalé, il s'était levé, avait mis sa veste en grommelant un « Bon, j'y vais ! », puis s'était rendu dans le vestibule pour enfiler ses chaussures. Comme tous les matins, je lui avais tendu son porte-documents. Quand il s'était retourné vers moi, j'avais rêvé un instant qu'il allait me dire quelque chose comme : « Viens me retrouver à Yokohama, ce soir, j'ai réservé une table dans le quartier chinois... Après, on ira flâner au parc d'attractions, faire un tour de grande roue pour contempler la baie. » Mais non... il avait simplement grogné un vague au revoir. Quand j'ai raconté cela à mes copines, elles ont hoché la tête d'un air de dire : « On connaît la chanson ! »

« À mon avis, il n'y a pas de raison de prendre la mouche ! Qu'un mari oublie son anniversaire de mariage, c'est plutôt la règle et c'est mieux pour la pudeur du couple, vous ne croyez pas ? » a lancé Mariko.

Mariko Suga est incroyablement prude. Elle a épousé le fils d'une vieille famille très à cheval sur les principes. Entre nous, nous nous demandons comment elle a pu faire trois enfants à son mari, tant elle a l'air revêche. Elle est pourtant bien plus jolie que la plupart d'entre nous.

Rie Hasegawa a haussé les épaules en secouant son opulente chevelure permanentée qui lui donne un air si déluré. C'est une fille bien et qui ne s'embarrasse pas de circonlocutions quand elle s'exprime.

« C'est vrai, mais ce n'est pas une raison pour que nous capitulions ! Moi, je vais vous dire ce qui m'est arrivé cette année ! »

Nous nous sommes toutes penchées pour mieux écouter.

« Mon mari oublie systématiquement notre anniversaire de mariage, alors qu'il se rappelle parfaitement notre premier baiser ou notre première nuit passée ensemble !

– Pas étonnant », a ricané Fumie Watanabe, qui est une vraie garce.

Nous l'avons ignorée et avons encouragé Rie à continuer.

« Le matin de notre anniversaire de mariage, pendant qu'il prenait son petit déjeuner, j'ai coupé le son de la télé et je me suis assise en face de lui. "Cela doit être si agréable d'avoir un mari qui vous demande de préparer un sac de voyage et vous emmène dans une auberge à une centaine de kilomètres de Tokyo ! lui ai-je dit. Juste une escapade, comme un vrai couple, sans les enfants !" Et lui, il a répliqué, le nez dans son bol de soupe de miso : "Nous allons à Hawaï pour le jour de l'an… tu sais bien que c'est le seul moment où je peux fermer le cabinet médical… Partir comme cela sans raison, c'est ridicule. Nous sommes mariés, nous n'avons pas besoin de nous évader vingt-quatre heures pour faire l'amour, si c'est ce que tu sous-entends ! Tu veux bien remettre le son, s'il te plaît ?" J'en suis restée sans voix ! Malgré la perche que je lui tendais, il ne comprenait toujours pas ! Furieuse, je me suis levée et je suis allée réveiller les enfants sans plus m'occuper de lui.

– Vous ne l'avez pas accompagné sur le seuil de la maison quand il est parti travailler ? s'est indignée Mariko Suga.

– Il ne manquerait plus que ça ! a répliqué Rie. Mais attendez, le meilleur est encore à venir… Dans l'après-midi, je reçois un coup de téléphone d'un vendeur du service des relations extérieures d'un grand magasin. Il m'annonce qu'il appelle de la part de mon mari pour que je choisisse dans un catalogue un cadeau afin de marquer cette date importante pour notre couple. Je m'en suis presque étranglée ! J'ai hurlé au vendeur d'aller se faire voir, avec son catalogue et ses cadeaux que mon goujat de mari n'était même pas capable de choisir lui-même, et je lui ai raccroché au nez.

– Vous auriez dû réagir de manière plus positive ! s'est exclamée Mariko Suga. Votre mari avait fini par comprendre votre message, c'était honorable de sa part…

– Moi, j'aurais choisi une énorme montre avec plein de diamants pour lui apprendre la politesse », a répliqué Fumie Watanabe, qui a tellement bien dressé son mari qu'il a fini par la quitter pour une hôtesse de bar.

Rie a repris son récit.

« Quand il est rentré le soir, il m'a demandé : "Il ne s'est rien passé de spécial, aujourd'hui ? – Ni plus ni moins que d'habitude, pourquoi ? – Pour rien… Je voulais juste savoir si tu avais passé une bonne journée." Sur ce, il est allé prendre son bain. J'ai compris que l'homme du magasin n'avait pas osé lui avouer que je l'avais envoyé sur les roses. Et comme je n'avais pas l'intention de l'aider à se sortir de ce mauvais pas… Bref, le lendemain, un paquet est arrivé. C'était un gros Paris-Brest, dans une boîte énorme, tout ce que je déteste ! J'en ai donné deux parts aux enfants pour leur goûter et j'ai mis le reste au fond du réfrigérateur, tel quel, dans son emballage. Le surlendemain, mon mari me demande timidement : "Tu as bien reçu un gâteau ?" Et moi : "Quoi ? Ce Paris-Brest infect ? Même les enfants n'y ont pas touché ! Je me demande qui a bien pu avoir l'idée de nous livrer un tel machin ! Un de tes patients, peut-être ? En tout cas, il encombrait le frigo. Je l'ai jeté tout à l'heure." Il m'a regardée d'un air chagrin. "Ah bon ? Alors tu n'as pas trouvé la lettre que j'avais fait mettre dans la boîte, sous le gâteau ?" J'ai attendu qu'il soit allé se coucher pour me précipiter dans le local à poubelles, j'ai fouillé un bon moment avant de finir par retrouver la lettre barbouillée de taches et de crème fraîche. Je l'ai nettoyée comme j'ai pu avant de la lire. »

Rie a fait une pause, le regard dans le vague. Je l'imaginais en train de lire cette lettre dans le silence de sa maison endormie, à la lumière du néon de sa cuisine. Je l'enviais. Fumie a ricané, ce qui a fait sortir Rie de sa rêverie.

« Dans sa lettre, a-t-elle poursuivi, il me disait qu'il m'était reconnaissant d'élever aussi bien nos enfants et de m'occuper de notre foyer depuis tant d'années, avec autant d'abnégation : cela lui permettait de se consacrer à ses malades sans avoir à se soucier d'autre chose. Il pensait que je devais être fatiguée, avec toutes ces tâches domestiques, aussi, il m'avait pris rendez-vous le jour suivant pour une séance de relaxation dans le spa le plus réputé de la ville. »

Mariko Suga a applaudi.

« Que votre mari est galant ! »

Rie l'a regardée de travers, croyant qu'elle se moquait d'elle, mais non, elle était sincèrement touchée par toute cette histoire. Elle a ajouté qu'elle trouvait le mari de Rie vraiment épatant, « très moderne » – ce furent ses mots.

« Mais un anniversaire de mariage, cela se fête à deux ! s'est exclamée Rie. Ce que je voulais, c'était faire quelque chose avec lui. Passer la soirée au cinéma, aller choisir une pâtisserie et boire un thé tous les deux ou tout simplement se balader bras dessus bras dessous dans le quartier après le dîner ! »

Mariko Suga, qui a pourtant notre âge, a clos la conversation d'un péremptoire :

« De nos jours, les jeunes femmes sont bien trop exigeantes ! »

Et comme l'heure de la sortie de l'école approchait, nous sommes parties chacune de notre côté à la rencontre de nos enfants en ruminant l'histoire de Rie Hasegawa.

Pour ma part, j'aurais été heureuse que Jinwaki comprenne à demi-mot mon allusion du matin et qu'un vendeur m'appelle dans l'après-midi ou qu'un gâteau, avec ou sans lettre, soit livré de sa part. Décidément, Mariko Suga avait raison : Rie Hasegawa se comportait comme une enfant gâtée.

Pour autant, je ne voulais pas laisser passer cette journée sans la commémorer d'une manière ou d'une autre. Aussi, j'ai décidé d'aller retrouver mon mari dans sa chambre de vieux garçon qui empestait le tabac froid. J'ai attendu que les enfants soient endormis, je suis allée prendre mon bain puis, au lieu d'enfiler le pyjama difforme que j'avais pris l'habitude de porter pour dormir, j'ai mis la chemise de nuit en soie blanche de notre nuit de noces. J'avais un peu forci avec mes deux grossesses, mais elle m'allait encore assez bien. J'ai longuement brossé ma chevelure. Elle exhalait ce délicat parfum de fleur que Jinwaki aimait tant autrefois.

Ensuite, je me suis rendue dans sa chambre. Il dormait sur le futon, en position fœtale. Sa respiration était paisible. Attendrie, je me suis glissée sous la couette et me suis blottie contre lui. J'ai commencé à remuer les hanches, doucement. Je n'avais pas senti la chaleur de son sexe depuis si longtemps... je l'ai trouvé brûlant sous mes doigts. Il a grogné comme un ivrogne, remuant un peu, mais il ne s'est pas réveillé.

Depuis cette unique tentative, je n'ai plus le moindre appétit pour la chose, comme si j'avais scellé mon sexe pour mieux l'oublier.

Mais avec l'arrivée de Brad, tout a changé.

5

Saya

Je n'arrive pas à me faire à ces filles qui passent leur temps à se maquiller dans le train. Elles ne se rendent pas compte à quel point elles ont l'air ridicule. Un jour, entre Shibuya et Shinjuku, j'en ai vu une qui se frisait les cheveux avec un petit fer rechargeable… Pour moi, le problème ne se pose pas : mes parents interdisent que je me maquille – ni fard à paupières, ni vernis à ongles, ni rouge à lèvres. Ma mère pousse le vice jusqu'à vérifier mon sac tous les matins, avant que je parte au lycée. Il est vrai que je n'en ai pas vraiment besoin : j'ai une jolie peau transparente, celle des femmes de la région de Niigata, dit-on. Je l'ai héritée de Maman, qui vient de là-bas. Je ne me teins pas non plus les cheveux. Tout juste si on me laisse les laver avec un shampooing légèrement parfumé. J'ai une chevelure de vraie Japonaise, lourde, épaisse, noire comme le jais. Elle fait ma fierté. J'adore la tirer en queue-de-cheval : cela dégage mon front haut et bombé, ma nuque si fine avec un petit creux au milieu.

Papa prétend que je suis une beauté japonaise classique et que le kimono est pour moi une seconde peau. Pourtant, je suis grande : un mètre soixante-treize, soixante-treize et demi, pour être exacte. Depuis la communale, je dépasse tout le monde d'une bonne tête. Quand j'étais petite, c'était un problème : les autres me raillaient, me traitaient de « grue cendrée », de « bambou », d'« anguille », de « Gian », ce personnage détestable de la bande dessinée *Doraemon*. C'était devenu mon surnom : Gian. Même l'instituteur m'appelait ainsi. « Gian, au tableau ! Gian, c'est toi qui seras de corvée le mois prochain : tu pourras épousseter la bibliothèque de la classe ! Pour une fois, ta taille de girafe te servira à quelque chose ! » Les enfants de l'école, encouragés par les railleries du maître, hurlaient en singeant la voix éraillée de Doraemon : « Gian ! Gian ! »

Quand j'ai rejoint le club de basket, on se moquait déjà moins de moi. Il faut dire que je mettais plus de paniers que toutes les autres filles réunies et faisais régulièrement gagner mon équipe aux tournois inter-écoles. Lors des matchs, j'avais enfin le sentiment d'être prise au sérieux. Mais dès que je quittais mon short, mon maillot et mes baskets pour revêtir mon uniforme d'écolière, je redevenais « Gian », une chose étrange, une anomalie. Ostracisme, brimades... j'ai connu tout cela. Heureusement qu'avec ma famille nous sommes partis à l'étranger : je n'aurais pas supporté longtemps cette petite haine quotidienne.

Je repensais à tout cela dans le train de la ligne Yamanote. C'était un soir d'automne, je devais retrouver mon père chez un de ses amis, un médecin légiste de renom, un de ces diplômés de l'université de Tokyo dont on ne sait s'ils sont géniaux ou totalement névrosés, tant leur intelligence étouffe leur sens des réalités.

Il habitait dans le quartier de Denenchofu une de ces vieilles maisons mélancoliques et sombres de l'ère Meiji *. Une femme entre deux âges est venue m'ouvrir. Sa taille était ceinte d'un tablier, on aurait pu la prendre pour une servante, mais c'était l'épouse du professeur. Elle m'a accompagnée à travers un dédale de couloirs étroits jusqu'à une bibliothèque. Le style était mi-japonais, mi-occidental : parquets qui craquent au moindre pas, lambris de bois foncé et plafonniers en opaline glauque. Elle m'a fait asseoir dans un profond fauteuil en cuir où mes fesses se sont enfoncées comme dans un nid douillet. J'avais beau tirer sur la jupe plissée de mon uniforme de lycéenne, elle remontait très haut sur mes cuisses. Bizarrement, cela ne me

* Seconde moitié du dix-neuvième siècle, ouverture du Japon au monde.

gênait pas plus que ça. Peut-être suis-je un peu perverse, sous mes dehors sages.

L'épouse du médecin est revenue avec une tasse de thé qu'elle a posée sur une crédence couverte d'un napperon de dentelle devant moi. Elle a allumé une lampe derrière le fauteuil et m'a dit que mon père n'en avait que pour quelques minutes, puis elle m'a laissée seule dans le silence paisible de la maison. Un vieux poêle à pétrole diffusait un peu de chaleur dans un chuintement discret.

Je suis restée ainsi dans cette pièce hors du temps, regardant mes SMS sur mon portable, mais au bout d'un moment les fadaises de mes camarades m'ont lassée. J'ai fermé mon téléphone, je me suis levée. J'ai flâné d'un rayon de la bibliothèque à l'autre, tirant au hasard des livres dont le dos m'inspirait par ses dorures. La plupart étaient des ouvrages médicaux en allemand ou en japonais, avec des planches anatomiques, des photos de visages tailladés et d'autres mutilations qui me laissaient de marbre. J'avais vu mieux dans une librairie sado-maso de Kanda où une copine un peu givrée que tout cela faisait flipper m'avait entraînée quelques mois plus tôt.

Je suis soudain tombée sur un épais volume tenu par un cordon violet semblable à ces liens qui retiennent les obis*. Il n'y avait aucun titre sur la couverture ni sur le dos. On aurait dit un luxueux album de photos de mariage. Intriguée, j'ai ouvert la page de garde. Toujours pas de titre, mais sur le papier, d'une grande qualité et d'un fort grammage, la reproduction d'une lithographie ancienne représentant une femme. Derrière elle, un enfant tenait une branche fleurie de chrysanthèmes mauves. Sur les trois pages suivantes était imprimée une introduction en calligraphie ancienne difficile à déchiffrer. Avant de ranger ce qui ressemblait à un pensum sur l'art bouddhiste, j'ai tourné quelques pages. Une estampe érotique du dix-neuvième siècle de Torii Kiyonaga est apparue sous mes yeux. Une femme dénudée, à l'opulente chevelure retenue par un

* Ceintures de kimono richement brodées.

peigne de paulownia, était accoudée sur un oreiller traditionnel, la tête renversée. Elle s'offrait à un homme à l'air imperturbable penché sur elle. Sur son visage errait une onde de jouissance qu'exprimait bien le dessin des paupières closes et des lèvres crispées. Les orteils de son pied gauche, qui sortait des replis de son kimono, étaient contractés de plaisir. Sa jambe droite soulevait le yukata de son partenaire et dévoilait leur intimité respective à la pilosité foisonnante. Comme un relief de lave pétrifiée, les replis du sexe de la femme engloutissaient celui de l'homme. Sur la page suivante, il y avait une autre estampe du même auteur, encore plus osée que la précédente. C'était un couple se préparant à l'action. L'homme portait sa main à sa bouche, de toute évidence pour s'humecter les doigts de salive afin de lubrifier la fente de sa maîtresse.

Je n'avais jamais vu de représentations aussi crues de l'acte sexuel. Le sang battant à mes tempes, je suis retournée m'asseoir dans le fauteuil et j'ai continué de tourner les pages, regardant avec fascination cette compilation des œuvres érotiques des plus grands peintres japonais du dix-huitième et du dix-neuvième siècle, de Torii Kiyonaga, dont je n'avais jamais entendu parler, à Utamaro, Kunisada ou Kuniyoshi.

Prise d'un spasme, j'ai gémi en fermant les yeux et en me mordant la lèvre inférieure.

Quand je les ai rouverts, haletante, l'ami de mon père se tenait devant moi. Je ne l'avais pas entendu entrer. C'était un beau quinquagénaire aux cheveux blancs et à l'air sévère. Confuse, j'ai brutalement refermé le livre. Ma jupe était relevée jusqu'à l'aine, dévoilant ma culotte auréolée d'une tache humide. J'ai serré les jambes.

« Laissez-les ouvertes ! »

Sa voix était autoritaire, basse et un peu rauque.

J'ai rougi en tirant sur ma jupe. C'était bien la première fois que je la trouvais aussi courte.

« Vous avez de jolies jambes pour une fille de votre âge… Vos genoux aussi sont ravissants. Et vos mollets… quel galbe !

J'aimerais vérifier si vos chevilles sont à la hauteur de tout cela. Baissez-moi donc ces affreuses chaussettes ! »

Il s'est approché et s'est agenouillé devant moi. Il sentait le tabac, mais aussi une odeur de miel et de tourbe un peu enivrante. Je pouvais voir ses mains, de longues mains élégantes d'artiste qu'il avait posées sur son pantalon de velours côtelé.

« Je voudrais aussi voir vos pieds. »

Je me suis exécutée. Sur le tapis chinois, à côté de mes chaussettes recroquevillées, ils faisaient une tache claire qui accentuait leur minceur.

« Parfaits ! Ils sont parfaits ! Maintenant, levez-vous ! »

Je me sentais moins intimidée : obéir au doigt et à l'œil aux ordres de cet homme me plaisait.

« Marchez un peu en jouant avec votre jupe. »

Je suis allée jusqu'à la porte de la bibliothèque. La situation était incongrue, mon trouble aussi. J'ai fait demi-tour en faisant voleter les franges de ma jupe plissée, comme il me l'avait demandé.

« Bien ! Revenez vers moi, maintenant ! Au fait, la porte n'est pas fermée à clef, vous pourrez partir quand vous le souhaiterez.

– Je ne vais pas m'enfuir, ai-je répondu, bravache.

– Pourtant, vous y avez pensé. Vous oscillez entre raison et perversité. La raison a failli l'emporter… Voyons jusqu'à quel point vous allez avoir envie de satisfaire votre perversité… »

J'ai marché vers le fauteuil. Les boucles du tapis chatouillaient ma voûte plantaire. Je prenais bien soin de dérouler mon pied, posant le talon puis prenant appui sur mes orteils, comme j'avais vu les mannequins le faire à la télé dans des défilés de mode. J'ai fait volte-face en plantant mon regard dans celui du médecin légiste, toujours à genoux sur le tapis. Ma jupe a effleuré son visage, mais il n'a pas bougé. Il avait vu juste : je n'avais plus aucune envie de m'en aller.

« Pourriez-vous remonter votre jupe ? »

J'ai obtempéré. Arrivée près de la porte, je me suis retournée une nouvelle fois et suis restée immobile un moment, les mains tenant ma jupe relevée. Le triangle bleu marine de ma culotte se détachait sur la blancheur de mes cuisses. Puis j'ai marché résolument vers lui avant de m'arrêter, les jambes un peu écartées. Nous sommes restés ainsi sans bouger. Il s'est mis à me masser délicatement les orteils et les chevilles. Puis il a entamé une imperceptible ascension le long de mes cuisses jusqu'à atteindre mes hanches, faisant crisser le coton du slip sur ma toison. Un frisson m'a parcourue, j'ai fermé les yeux.

« Je pourrais crier, ai-je dit sans pour autant me dégager.

– Et moi, je pourrais dire à ton père ce que tu étais en train de regarder, tout à l'heure…

– Mais je suis tombée dessus par hasard !

– Tu t'es bien gardée de le remettre à sa place ! »

Il a glissé un doigt dans mon sexe avant de le porter à ses lèvres.

« Savez-vous, jeune fille, que vous êtes délicieuse ? »

J'ai laissé retomber ma jupe. Je tremblais un peu, mélange de répulsion et d'excitation. Je me sentais plus pénétrée que si cet homme m'avait prise avec son sexe.

« Cela vous arrive souvent ? Je veux dire, pénétrer les jeunes filles avec vos doigts pour les lécher ? »

Il se tenait devant moi très droit, mais il était plus petit que moi. Son nez arrivait à peine à la hauteur de ma bouche.

« Tu le sais certainement, je suis médecin légiste. Avant une séance de dissection, j'ai besoin de me réchauffer un peu au contact de la chair vivante… et mes étudiantes éprouvent souvent la même chose… Tu as la réponse à ta question. »

Son langage devenait plus familier, comme si l'incursion de ses doigts entre mes jambes avait changé l'ordre des choses. Effarée, j'ai regardé cet éminent représentant du corps médical qui admettait le plus tranquillement du monde tripoter ses étudiantes comme une sorte de thérapie.

« Avant de partir, tu vas me donner ta petite culotte.

– Pourquoi ? Vous en faites la collection ?

– Non. Une collection, ce n'est qu'une accumulation d'objets. Moi, ce sont des trophées que je récolte. Un trophée, c'est le symbole d'une conquête.

– Vous êtes fou !

– Allons, dépêche-toi : retire cette culotte et donne-la-moi.

– Mais je ne peux pas sortir ainsi ! »

Je ne savais pas ce qui me choquait le plus : donner à cet homme mon sous-vêtement encore humide ou bien me promener dans la rue le sexe à l'air.

« Bien sûr que tu le peux ! »

J'ai réfléchi quelques instants puis je me suis retournée pour retirer mon slip et le lui ai tendu.

« On m'a dit qu'il y a des gens qui paient pour avoir les culottes des jeunes filles… Combien me donnez-vous ? lui ai-je demandé d'un ton où j'ai mis le plus d'effronterie possible pour cacher ma honte.

– On n'achète pas un trophée. On s'en empare. Je ne te paierai donc pas ta culotte. En revanche, je vais te payer ton show. 20 000 yens, cela t'irait ? »

Il s'est dirigé vers un tiroir de la bibliothèque d'où il a sorti deux billets. J'ai cru voir une lueur d'opprobre dans son regard grave. Malgré ma honte, j'étais enchantée : je venais de gagner en quelques minutes l'équivalent de l'argent de poche mensuel que me donnaient mes parents.

« Tu reviendras. »

Ce n'était pas une question, mais un ordre auquel je savais déjà que je me plierais. Sans répondre, j'ai enfilé mon caban bleu marine et pris mon sac, je suis sortie de la bibliothèque, me suis rendue dans le vestibule où j'ai enfilé mes chaussures, et je me suis retrouvée dans la rue. J'ai entendu qu'il refermait la porte d'entrée derrière moi. Lui aussi savait que je reviendrais.

Voilà comment j'ai commencé à coucher pour de l'argent avec un homme qui avait presque quarante ans de plus que moi. La facilité avec laquelle j'avais obéi à ses caprices ne me surprenait pas outre mesure : j'étais d'une nature docile. Mon enfance et le début de mon adolescence se sont déroulés dans le strict respect de l'autorité de mes parents, des enseignants et des élèves des classes supérieures, de mon coach au basket, de mon professeur de chant ou de piano… Obéissance exacerbée par le complexe lié à ma taille et qui me faisait courber le dos, regarder les autres par en dessous pour paraître moins arrogante. Dépasser tout le monde d'une tête est peut-être un atout pour exercer une autorité naturelle, mais ce qui est vrai pour un adulte l'est déjà beaucoup moins dans une cour d'école. En toute circonstance, je me faisais un devoir d'être humble et soumise, gentille et douce.

Notre séjour en France avait un peu infléchi ce trait de caractère. Au Lycée japonais de Paris, les règles étaient aussi strictes qu'à l'école privée de Tokyo, mais l'ambiance plus décontractée de la ville déteignait sur nous tous. Mes parents eux-mêmes se laissaient aller à des comportements qui me surprenaient par leur désinvolture. Ils s'étaient mis à traverser en dehors des clous, mon père ne partait plus au bureau avec la même régularité de métronome qu'à Tokyo, sur les marchés ma mère se permettait de tâter les produits ou de grappiller un grain de raisin avec l'air gourmand d'une gamine qui joue un mauvais tour. Pour ma part, j'avais un terrain de jeu où m'exercer. Mon père avait en effet négocié une dérogation auprès du Lycée japonais et il avait obtenu que je m'absente un jour sur trois pour suivre les cours au lycée de mon quartier : il voulait absolument que je profite de notre séjour pour maîtriser la langue française. En côtoyant des Français, j'ai acquis une certaine flexibilité. Non que je sois devenue aussi délurée que les petits Parisiens – en comparaison, je restais un modèle de sagesse et de modestie –, mais leur décontraction et le laxisme des professeurs ont fini par avoir raison de ma soumission maladive. Et puis, à Paris, personne ne faisait attention à ma taille… De retour au Japon, même s'il est resté en nous un zeste de rébellion que nous ne sommes jamais parvenus à éradiquer complètement, nous avons fini par réintégrer le moule. Pas moyen de faire autrement pour s'en tirer dans ce pays : le clou ne doit jamais trop dépasser.

Tout cela était bien beau pour justifier mon attitude envers l'ami de mon père, mais je ne voyais pas trop comment j'allais pouvoir étouffer ma mauvaise conscience si je retournais le voir. Bien sûr, il y avait l'argent. Mais, petit à petit, je me suis rendu compte que le moteur paradoxal de ma motivation était un désir de domination, le sexe me paraissant une activité à peine plus excitante que de manger une glace. Exercer à mon tour une autorité sur quelqu'un, voir un homme m'obéir au doigt et à l'œil... C'était un geste de rébellion. L'acte sexuel, lui, s'effacerait avec le temps aussi sûrement qu'une ride à la surface de l'eau. Il suffirait que je me lave soigneusement après avoir couché avec le médecin légiste. Mais lui, il aurait beau frotter, gratter, étriller, il m'aurait à jamais dans la peau. Du moment où il me toucherait, il serait à ma botte : malgré son arrogance, sa maîtrise de soi, son expérience des situations les plus délicates, son acte le mettrait aussitôt en marge de la société. Pour être invulnérable, il faut être intouchable, statut que mon âge me conférait. À la moindre de ses incartades, je n'aurais qu'à hausser les sourcils pour le remettre à sa place. Je le tiendrais sous le joug absolu de la menace pourtant jamais clairement exprimée de le dénoncer. Et lorsque je me serais lassée, il me suffirait d'un claquement de doigts pour me débarrasser de lui.

6

Jinwaki

Quand je suis arrivé à Shibuya par la ligne Toyoko, il était sept heures. La nuit était illuminée par les néons et les écrans géants sur les façades des immeubles. Je n'avais plus mis les pieds ici depuis mes années d'études à Keio, au début des années 70, quand nous donnions rendez-vous aux CRS pour des batailles rangées sur l'esplanade du terminal des autobus. Seuls les canons à eau parvenaient à nous disperser. Alors, nous nous réfugiions dans les gargotes en sous-sol tenues par des aînés qui avaient fait le coup de poing contre les autorités une dizaine d'années plus tôt. Un soir, j'étais sorti trop vite du restaurant où je m'étais caché et j'avais été pris dans une rafle organisée par des flics en civil. Au poste, ils m'avaient tabassé et j'avais passé le reste de la nuit, le nez en bouillie et les lèvres tuméfiées, dans une cellule où croupissaient d'autres étudiants avant d'être relâché au petit matin. En traversant le croisement devant la place du Chien-Hachiko où des amoureux transis planifiaient des rendez-vous à coups de SMS, j'ai repensé à cette jeunesse si rangée malgré les apparences.

J'ai remonté l'avenue le long du magasin Seibu, évitant de m'attarder devant le rayon cosmétiques récemment rénové comme je l'aurais fait par réflexe professionnel seulement deux jours plus tôt. Je me demandais pourquoi j'étais revenu dans ce quartier qui ne rimait à rien pour moi depuis si longtemps, avec sa faune de gamines peinturlurées comme pour un départ en guerre et de mômes percés aux oreilles, au nez et aux lèvres. Je me faisais l'effet d'une coque vide.

Dépassant le magasin Marui, j'ai bifurqué sur la droite et je me suis engagé sous la ligne de chemin de fer Yamanote en empruntant un passage souterrain, manquant de trébucher sur une bicyclette à moitié désossée. J'ai rejoint l'avenue Meiji en passant par les ruelles avoisinantes : cuisines puantes, locaux à ordures mal fermés, alignements de bouteilles destinés à empêcher les chats errants de trop s'approcher des immeubles…

Plus haut, en remontant vers Harajuku, j'ai traversé l'avenue et je suis entré dans Cat Street, me mêlant à la foule de jeunes qui se dirigeait vers Omote Sando. L'affluence me donnait le tournis. J'ai bientôt repéré la façade rouge sang d'un bar, en contrebas de la rue. Je me suis approché. Dans la vitrine, un néon vert en forme de chapeau mexicain vantait les vertus d'un café colombien. Au-dessus de la porte, un autre néon, jaune vif celui-là, indiquait le nom de l'établissement : *Sombrero*.

J'ai poussé la porte vitrée. La salle était tapissée de ponchos aux couleurs passées. Derrière un comptoir rustique, il y avait un homme aux tempes grises, du même âge que moi, ceint d'un tablier beige. De grands bocaux remplis de grains de café trônaient sur des étagères. Quelques chapeaux de paille tressée faisaient office de plafonniers, répandant une lumière diffuse et tamisée.

« *Buenas tardes, señor* », m'a-t-il lancé en guise de bienvenue.

J'ai d'abord trouvé un peu ridicule qu'un Japonais s'adresse ainsi à un autre Japonais, mais, au fond, cela valait peut-être mieux que toutes ces formules de politesse ânonnées du matin au soir et dont notre société est si friande. Formules que je m'appliquais moi-même à inculquer aux vendeuses de mon étage chaque matin, avant l'ouverture du magasin. Tout cela me paraissait déjà si lointain… Ce soir-là, l'exotisme du barman m'allait plutôt bien.

Je me suis assis sur une banquette, près de la vitrine, le regard à hauteur des jambes des passants. Dans la salle flottait une odeur de tabac et de café fort. J'ai allumé une cigarette. Le barman m'a apporté une serviette chaude et une carte aussi fournie que celle d'un sommelier dans un restaurant trois étoiles.

« Un café bien serré, s'il vous plaît, ai-je demandé d'un ton morne.

– Monsieur, je vous recommande d'abord de consulter notre carte, a-t-il répondu avec emphase. J'ai ici soixante-quatre sortes de cafés venus du monde entier. Je les sélectionne moi-même, sur place, en Afrique, en Amérique latine, en Indonésie et même au Yémen. »

Je l'ai regardé plus attentivement.

« Vous-même ?

– Oui. J'étais acheteur dans une compagnie de négoce spécialisée. Je connais mon affaire !

– Vous avez arrêté ce métier pour vous mettre à votre compte ?

– Je n'ai pas eu le choix ! Compression de personnel ! J'ai été licencié après vingt ans de maison. Et comme je ne savais rien faire d'autre qu'aller acheter du café aux quatre coins du monde, même les plus improbables...

– Quel effet cela fait, d'être mis à la porte ?

– C'est comme sortir de l'eau après une trop longue station en apnée. C'est la première bouffée d'oxygène qui compte. Et puis, petit à petit, on reprend son souffle... »

J'ai hoché la tête, sceptique, en m'essuyant les mains. Moi, j'avais plutôt l'impression d'être en train de me noyer, tout au fond de l'eau. Mais je n'ai pas relevé. Il a ouvert la carte à la page « Afrique ».

« Je vous recommande celui-ci... Un grain d'Éthiopie, le sixième producteur mondial, la source originelle du café, d'après la légende. Celui-là, un Yirgacheffe, qui vient de la province du Sidamo, à la frontière du Kenya, au sud du pays. Un peu cher, mais puissant et délicat à la fois... »

J'ai consulté le prix : 1 400 yens. Pour un futur chômeur, c'était un caprice insensé, mais j'y ai cédé. Et puis, l'Éthiopie est un pays qui me fascine. Il y a des signes qui ne se refusent pas.

L'homme est reparti derrière son comptoir. Il s'est approché d'une chaîne stéréo et y a glissé un CD.

« Notre jeunesse ! » m'a-t-il dit en me faisant un clin d'œil.

Bientôt, les haut-parleurs ont diffusé les premières mesures de *In the Court of the Crimson King* : « *The rusted chains of the prison rooms are chattered by the sun...* », chantait Greg Lake. J'avais l'impression que cette chanson écrite en 1969 m'était adressée à travers les années. Étais-je en train de briser les chaînes de ma carrière, ou au contraire ce licenciement allait-il forger celles d'un paria ?

Je me suis levé pour prendre un livre de mangas dans une petite bibliothèque. J'avais besoin de m'occuper l'esprit. J'ai feuilleté les premières pages, mais je continuais d'avoir la tête ailleurs. Sans travail, et malgré mon indemnité de départ, j'allais me retrouver dans une situation financière très précaire. J'avais encore une bonne dizaine d'années du prêt de la maison de Kamakura à rembourser. Les enfants étaient loin d'être sortis d'affaire, surtout Hideaki… Comment faire pour protéger ma famille ? Il faudrait réduire notre train de vie, peut-être déménager, vendre la maison, ce qui ne serait pas une mince affaire, avec ma mère grabataire… Si j'annonçais sans détour la catastrophe à Kaori, cela briserait irrémédiablement mon image d'époux et de père modèles. Elle et moi vivions de plus en plus chacun de notre côté, mais je leur assurais une sécurité matérielle non négligeable et qui méritait respect et considération…

Je ruminais tout cela quand le barman m'a apporté mon café fumant dans une grande tasse en porcelaine de Meissen. J'ai attendu quelques instants qu'il refroidisse un peu et j'ai fermé les yeux, rêvant du mythique pays de la reine de Saba, remontant le Nil Bleu vers ses sources au nord d'Addis-Ababa, puis vers les trois lacs sacrés, le Langano, l'Abijatta et le Shalla, jusqu'aux contreforts du mont Kaka et du mont Chilalo, qui dominent le plateau de Didda… Bien que je n'y fusse encore jamais allé, je connaissais par cœur la géographie des pays de la Corne de l'Afrique. C'était mon jardin secret. Je mettais de l'argent de côté à l'insu de ma femme dans l'espoir d'y partir un jour, m'y perdre peut-être… Ce rêve aussi était sur le point de s'effondrer.

J'ai rouvert les yeux, dérangé par un frôlement. Une jeune fille s'était glissée sur la banquette de la table en face de moi, près de la vitrine donnant sur Cat Street. Cela m'a agacé : pourquoi cette lycéenne s'était-elle assise là, alors que les autres tables étaient encore inoccupées ? J'ai bu une gorgée de café, le visage tourné vers la vitre où se réfléchissait la silhouette de l'inconnue. Elle ne m'intéressait pas : je n'ai jamais eu la moindre attirance pour les jeunes filles en fleurs. Le syndrome Lolita, très peu pour moi.

Le barman s'est approché d'elle. Elle l'a salué d'un bref hochement de tête.

« Comme d'habitude, je suppose ? » a-t-il demandé.

Elle a acquiescé et, sans plus se préoccuper de lui, elle s'est mise à fouiller dans son sac d'où elle a sorti un iPod. Elle a rejeté sa lourde chevelure en arrière pour mettre les écouteurs et s'est plongée dans la lecture d'une bande dessinée. Je me suis bientôt désintéressé d'elle. J'ai fini mon café, allumé une autre cigarette. J'étais ici depuis une bonne heure. J'avais déserté mon poste sans crier gare, personne ne savait où j'étais. Je n'avais pas envie de rentrer tout de suite à Kamakura, pas avant que la famille soit couchée. Je ne me voyais pas affronter Kaori. Je venais de décider de lui cacher mon licenciement. Pour le moment… Mais au fond de moi-même je savais déjà que cela ne pourrait durer très longtemps. Je me suis rappelé cet incroyable fait divers survenu lorsque nous habitions en France, en 1993. Pendant dix-huit ans, un homme avait vécu une vie de mensonges, prétendant être un médecin de renom. Quand il avait compris qu'il ne pouvait plus dérouler devant lui le tapis de sa mystification, il avait massacré son épouse, ses deux enfants, ses parents et son chien avant de tenter d'assassiner sa maîtresse et de se suicider. Moi, je ne voyais pas comment je pourrais dissimuler ma situation à mon entourage, ne serait-ce qu'une année, malgré le cloisonnement de ma vie professionnelle. Notre société est trop compacte, le Japon trop étroit, son maillage trop serré. Avant longtemps, ma situation économique se détériorerait et la vérité finirait par éclater. J'ai eu un instant la tentation de disparaître, de fuir, me fondre dans la masse homogène de mes compatriotes : pour une fois, notre uniformité offrait le visage séduisant de l'anonymat. Je ressemblais aux autres, je pouvais devenir un autre. Mais c'était irréaliste : je n'aurais ni la force de caractère ni la patience d'une telle métamorphose.

J'ai commandé un autre café, le même, malgré le prix. Avec les taxes, la facture s'élèverait à plus de 3 000 yens. Cette somme à laquelle je n'aurais pas attaché la moindre attention vingt-quatre heures plus tôt pesait soudain sur ma conscience de futur chômeur.

Le café est arrivé. J'ai relevé la tête, mon regard de nouveau s'est posé sur la lycéenne en face de moi. Elle portait l'uniforme d'un lycée bien connu de Tokyo. La lumière de l'enseigne ricochait sur ses genoux polis comme des galets ; ceux-ci pointaient au-dessus de la banquette, faisant remonter sa jupe sur ses cuisses pudiquement serrées. Elle devait être assez grande. Son visage était à moitié caché par le livre qu'elle tenait devant elle, et je ne voyais que la cascade de ses cheveux rejetés sur son épaule. Ils étaient de ce noir profond et naturel qui accroche la lumière, quand toutes les filles que j'avais croisées dans le quartier arboraient les teintures et les balayages les plus fantaisistes. Ses mains étaient longues, ses ongles soignés. Elle était très belle.

Le livre dans lequel elle était plongée a attiré mon attention : il s'agissait d'un album de cette bande dessinée qui a pour héros ce petit bonhomme teigneux si représentatif du caractère des Français. Plus étonnant, le titre sur la couverture n'était pas en japonais mais en français. Je m'étais moi-même pris de passion pour cette BD satirique lorsque je m'étais senti capable de maîtriser les subtilités de la langue et des mœurs de ce lointain pays. Mais les nuances du texte étaient parfois aussi difficiles à saisir que le sont nos chansons populaires ou *Sazae San* * pour un étranger. Comment cette toute jeune fille y parvenait-elle ? Certes, l'école dont elle portait l'uniforme se targuait d'enseigner le français en première langue, mais je doutais fort que la bande dessinée en question fasse partie des manuels officiels…

De plus en plus intrigué, je me suis penché par-dessus la table.

« Pardon, mademoiselle… », lui ai-je lancé, en français.

Elle n'a pas entendu. J'ai répété, plus fort, en faisant un signe de la main. Je devinais le regard un peu suspicieux que le barman posait sur moi depuis son comptoir.

« Mademoiselle ! Vous m'entendez ? »

Elle a posé son livre en fronçant les sourcils et ôté les écouteurs. À ma grande surprise, elle écoutait un morceau de musique classique au rythme lancinant et à la mélodie poignante. Décidément, cette fille était hors du commun.

« Deuxième mouvement *andante, larghetto* et *staccato* du Concerto n° 11 en *sol* mineur pour orgue et orchestre de Haendel », lui ai-je dit, reconnaissant aussitôt un de mes compositeurs favoris.

« Vous connaissez ce concerto ? m'a-t-elle répondu, en japonais. J'adore les grandes orgues ! J'aimerais tant en jouer ! Pour le moment, je dois me contenter d'un Yamaha électronique, mais cela manque de souffle. » L'agacement dans son regard a soudain cédé la place à la perplexité. « Mais pourquoi me parlez-vous en français ? » a-t-elle demandé avec un accent impeccable.

Je n'ai rien répondu. À l'instant où j'ai plongé mes yeux dans les siens, j'ai entendu une petite voix murmurer au fond de moi, là où rien ne pénètre : « Tout est écrit. »

* Bande dessinée populaire des années 50-70.

7

Kaori

Ce matin, quand je suis allée servir son petit déjeuner à ma belle-mère, il est arrivé quelque chose d'inhabituel : au moment où j'ai posé le plateau devant elle, sa main a jailli tel un serpent de la manche de son kimono, agrippant mon poignet avec cette force surprenante qu'ont parfois les vieillards. J'ai senti sa peau rêche sur la mienne, ses doigts griffus. J'ai eu un mouvement de recul mais elle a tenu bon. Elle a planté son regard dans le mien. Derrière ses lunettes, ses yeux étaient secs et brillaient d'un éclat inattendu. Nous sommes restées ainsi un moment, immobiles, à nous dévisager. J'étais électrisée par ce contact qui me révulsait et me surprenait à la fois.

Elle a commencé à me parler de sa voix rauque, presque masculine, qui me donnait des frissons quand j'étais jeune mariée mais ne me faisait plus ni chaud ni froid depuis longtemps.

« Vous n'êtes ni belle ni intelligente, mais j'espérais que vous seriez l'épouse idéale pour mon fils. Une femme trop jolie aurait égaré ses sens et l'aurait détourné de l'essentiel. Avec trop d'esprit, vous lui auriez porté ombrage. Je dois reconnaître que je me suis trompée. Je n'avais pas compris à quel point vous êtes manipulatrice. Vous l'avez pris dans vos filets dès l'université. Sans vous, il aurait sans doute repris l'affaire de son père… En tant que femme, je vous admire d'avoir réussi à le détourner de la voie que les dieux avaient tracée à sa naissance. Avec pour seule arme votre ridicule petite vulve et vos seins sans gloire, vous êtes parvenue à anéantir la destinée que sept générations avaient forgée avec patience et obstination. Vous n'avez pas de charme, et pourtant vous l'avez ensorcelé au point qu'il a rejeté les plus beaux partis que nous lui destinions.

– Vous avez peut-être sous-estimé la force de l'amour que vous-même n'avez pas connu, mère ! » ai-je répondu avec une insolence qui m'a surprise moi-même.

J'avais pris l'habitude d'être plus cauteleuse dans mes rapports avec elle. Uriner dans son thé était une chose, lui parler effrontément, c'était un pas que mon éducation ne m'avait jamais permis de franchir. Elle a eu un ricanement qui s'est achevé dans une sorte de soupir de fatigue ou d'exaspération.

« L'amour ! Pour ce que vous en avez fait... J'ai été trop faible avec mon fils. J'ai commis l'erreur de le laisser partir faire ses études à Tokyo. J'aurais dû le garder près de moi. Mon fils est mon échec le plus cuisant. »

Elle a lâché mon poignet, son bras décharné a regagné la tanière de son kimono. J'aurais voulu quitter cette pièce étouffante, mais son regard me retenait de manière plus sûre encore que sa main. Elle a chancelé un instant, puis elle s'est redressée après avoir repris son souffle.

« Nous ne sommes pas là pour évoquer les erreurs et les échecs de mon fils. C'est de vous que je souhaite parler, ce matin. Je sens que la vie est en train de me quitter. Avant d'être totalement dépendante de votre bon vouloir, je tenais à vous dire que, malgré mon aversion pour vous, j'ai apprécié l'indifférence et la froideur avec lesquelles vous avez méticuleusement accompli votre devoir. Votre attitude exempte de la moindre sympathie, sans pitié ni compassion, l'aridité de vos sentiments m'ont évité d'avoir à ressentir de la reconnaissance à votre égard, ce qui aurait encombré mon esprit d'un sentimentalisme inutile. Je vous prie de continuer ainsi, jusqu'à la fin.

– Comptez sur moi, mère : avec vous, j'ai été à bonne école ! » ai-je répondu en m'inclinant, plus pour échapper à son regard que pour me plier à la formalité d'usage en de telles circonstances.

J'étais sous le coup de la surprise : en plus de vingt ans, jamais elle ne m'avait parlé aussi longuement.

Quand j'ai redressé la tête, elle avait fermé les yeux. Son visage était gris. « Un volcan en train de s'éteindre », ai-je pensé, et cela m'a rappelé mon beau-père à l'instant où il avait rendu l'âme. En regardant ma belle-mère, j'avais en face de moi un être encore vivant mais que son âme avait déjà quitté. Cela m'a rassurée. Le jour où elle partirait, je n'aurais ni regrets ni soulagement, ce serait un moment d'indifférence absolue, neutre, vide de toute émotion. Elle s'est tassée sur son coussin. Dans son kimono devenu trop grand, elle flottait comme un bois sec. J'ai pris le plateau de son petit déjeuner, que j'ai posé sur le seuil de la chambre, et j'ai ouvert le fusuma. Brad attendait derrière le panneau, sagement assis sur son train arrière, ses adorables petits yeux pétillant de joie, la tête un peu penchée de côté, l'air de demander ce que je faisais là.

Vraiment, ce matin, j'allais de surprise en surprise. D'habitude, il restait couché au fond du couloir, le museau posé sur ses pattes avant, le regard inquiet braqué droit devant lui, attendant de voir si je ressortirai entière de cet antre. J'ai caressé la frimousse de mon petit compagnon, qui s'est mis à me lécher les mains en grognant de plaisir.

J'ai entendu ma belle-mère se racler la gorge. Décidément, je manquais à tous les usages en lui tournant le dos ! Jamais je ne quittais la pièce autrement qu'à reculons, ne me détournant qu'une fois que j'avais tiré le fusuma, agenouillée sur le parquet du couloir… Tout allait de travers, aujourd'hui.

« Pouvez-vous ôter cette affreuse bestiole de ma vue ? Vous savez bien que je suis allergique aux animaux en général, et à celui-ci en particulier ! »

Elle était peut-être sans âme, il lui restait un beau fond de méchanceté. Je n'ai pas fait un geste pour repousser Brad, dont je sentais l'haleine tiède sur la plante de mes pieds.

« Avez-vous besoin d'autre chose, mère ? lui ai-je demandé en faisant mine d'ignorer ses derniers mots. Je vais aller faire quelques courses au marché aux légumes et à Kinokuniya. Je serai absente pendant une ou deux heures.

– Qu'avez-vous besoin d'aller là ! C'est prétentieux et hors de prix ! Vous feriez mieux de fréquenter le Tokyu Store, cela correspond mieux à la modestie de notre condition ! Vous n'êtes plus à Paris, tout de même ! »

Je me suis inclinée et j'ai quitté la chambre. Quand j'ai tiré le panneau coulissant, elle avait déjà fermé les yeux.

Brad sur les talons, je suis retournée dans la cuisine pour me préparer, j'ai retiré mon tablier, que j'ai posé en boule sur une chaise, lissé ma jupe un peu froissée, je me suis donné un coup de peigne et me suis poudré le visage tout en regardant distraitement la télévision. Puis j'ai passé son petit harnais de cuir à Brad, l'ai pris dans mes bras et me suis rendue dans le garage. J'ai bien installé Brad sur mes genoux et nous sommes partis en voiture pour la halle aux légumes qui se trouve en face de la gare de Kamakura.

À la halle, j'ai un peu l'impression de me retrouver au marché de la rue Poncelet, derrière la place des Ternes, où je me rendais une fois par semaine lorsque nous habitions à Paris.

Quand Jinwaki m'a annoncé qu'il était muté en France, je n'ai pas sauté de joie. J'espérais secrètement qu'il partirait en célibataire, mais son entreprise a des idées progressistes, elle envoie en famille ses employés à l'étranger. Satomi était encore petite, j'étais un peu inquiète de lui faire faire un si long voyage et de me retrouver seule avec elle dans une ville, un pays dont je ne parlais pas la langue. Jinwaki était enchanté, lui qui se vantait de parler français. « Tu devrais être contente, toi qui voulais aller à Paris pour ton voyage de noces ! » a-t-il simplement dit devant mon air renfrogné. Certes, mon voyage de noces, je l'aurais bien fait en France plutôt qu'à Hawaï, mais une chose est de passer huit jours dans un pays, une autre d'y vivre. Petit à petit, je me suis pourtant habituée à cette belle ville si indifférente au monde tel qu'il va.

Au marché de Kamakura, il y a des légumes qu'on ne trouve nulle part au Japon. Des radis longs plus forts que les nôtres, des petites carottes très goûteuses que je coupe en rondelles dans le ragoût de bœuf dont raffole Hideaki après les avoir ébouillantées, des betteraves pulpeuses, toutes sortes de salades inconnues ici, et même de la rhubarbe.

Une amie m'a dit que c'est un garçon originaire de Zushi, un cuisinier travaillant à Monaco dans ce fameux restaurant trois étoiles, qui rapporte de France des graines de tous ces produits et les confie aux paysans de la région. C'est tellement extravagant qu'on pourrait croire à une légende. Mais les maraîchers sont capables d'expliquer comment les accommoder.

Brad dans les bras, je suis passée d'un étal à l'autre pour voir ce qui était proposé, adressant un mot aux paysans que je connais, puis j'ai continué mes courses sans me presser. Je suis allée chez mon poissonnier habituel prendre la daurade sauvage que je lui avais commandée : c'est un peu cher mais tellement meilleur ! Je vais pouvoir inaugurer le grand four que Jinwaki m'a laissée acheter, faire cuire le poisson dans une croûte de sel parfumée aux aromates. Ce four, j'ai l'impression que Jinwaki me l'a concédé parce qu'il a mauvaise conscience. Je le sens. Il a des airs mystérieux qui ne lui ressemblent pas. Pourtant, on ne se voit ni ne se parle beaucoup, il rentre encore plus tard que d'habitude, avec ces réunions incessantes…

J'ai repris la voiture pour me rendre à Kinokuniya, de l'autre côté de la gare. Il y avait peu de circulation et j'avais terminé mes courses plus tôt que prévu. J'ai décidé d'aller sur la plage de Yuigahama pour promener Brad, qui adore galoper au bord de l'eau et y tremper ses adorables petites pattes. Nous y sommes restés une demi-heure. Il faisait doux, l'eau était calme. Quelques surfeurs qui ressemblaient à des mouettes noires posées sur la mer ramaient paresseusement, en attente d'une vague improbable. Devant cet océan paisible où tout était à sa place, la silhouette des promeneurs, le scintillement de l'eau, un voilier à l'horizon, je me suis soudain sentie heureuse.

Mais déjà l'heure était venue de rentrer pour préparer le déjeuner de ma belle-mère. J'ai essuyé les pattes mouillées de Brad et lui ai embrassé le museau, puis nous sommes revenus à la voiture, que j'avais garée dans le parking souterrain de Yuigahama.

De retour chez moi, j'ai posé les courses sur la table de la cuisine et me suis rendue dans la chambre de ma belle-mère pour lui dire que j'étais rentrée. Je me suis agenouillée devant le seuil et me suis annoncée, mais elle n'a pas répondu. Pensant qu'elle dormait, j'ai entrouvert la porte coulissante. Elle reposait dans la lumière filtrant à travers les shojis, encore plus tassée dans son kimono qu'au matin, la tête renversée sur le dossier de son siège, les yeux révulsés, l'écume aux lèvres. Elle émettait une sorte de plainte monotone.

J'ai doucement refermé le fusuma. Je suis retournée dans la cuisine pour ranger les courses, je me suis fait une tasse de thé bien chaud, j'ai branché la télévision en choisissant une émission de variétés, montant le son au maximum, puis j'ai commencé à préparer le repas de midi. J'avais tout mon temps.

8

Jinwaki

Quand je suis descendu à la gare de Kita Kamakura, il était onze heures du soir. Sans me presser, j'ai longé sous les grands arbres la route qui mène à notre maison. J'ai poussé très doucement le portillon en fer forgé du jardin. Puis j'ai gravi les cinq marches jusqu'à la porte de la maison. Je suis entré dans le vestibule. Il y avait longtemps que Kaori ne prenait plus la peine d'allumer la veilleuse posée sur le placard à chaussures. J'ai ôté mes mocassins, que j'ai alignés sur le carrelage. En me relevant, j'ai heurté un carton bricolé par Kaori en guise de bienvenue : « Évite de faire du bruit ! Brad dort ! » avait-elle calligraphié d'un coup de stylo rouge rageur.

Brad ! Il ne manquait plus que lui… Je me suis dirigé vers ma chambre, reléguée tout au fond du couloir sombre. Au moment où j'allais faire coulisser la porte, j'ai aperçu l'éclat verdâtre du regard de Brad en même temps que sortait de sa gorge un grondement hostile. Ce chien ne m'aime pas et je le lui rends bien. Je hais ce gringalet pelé qui tremble sur ses pattes comme un vieillard atteint de la maladie de Parkinson. Il représente pour moi le summum de cette imbécillité délirante du *pet boom* qui a saisi les Japonais il y a quelques années. Comme ils font de moins en moins d'enfants, mes compatriotes adoptent des bestioles qu'ils achètent à des prix délirants et qu'ils choient tels des parents gâteux.

« Crétin ! » ai-je lancé à Brad en passant à côté de lui.

Il a grondé plus fort. Pris d'une haine subite, je me suis baissé et lui ai assené un coup sec sur la truffe. Il a émis un bref jappement étranglé, ses yeux de clown fardé se sont révulsés, il s'est affalé sur le parquet. Ses pattes ont été prises de convulsions puis elles se sont raidies. « Je viens de perdre au moins 300 000 yens, me suis-je dit. Ce n'est vraiment pas le moment… »

Je ne me voyais pas annoncer à ma femme que j'avais tué son petit compagnon. La seule solution était de faire disparaître le corps et de prétendre que je n'avais pas vu Brad en rentrant. Peut-être croirait-elle qu'il s'était échappé.

Je suis allé chercher un sac à provisions dans la cuisine et j'y ai couché Brad avant de le recouvrir d'un oshibori que j'avais trouvé sur l'évier. Balançant nonchalamment le sac au bout de mon bras, je suis ressorti de la maison et me suis dirigé vers la gare. De là, j'ai pris le dernier train en partance pour Yokohama et je suis descendu à Oofuna. J'ai erré un moment dans le quartier de la gare à la recherche d'une poubelle où jeter le sac, mais il y avait encore trop de monde dans les rues. Malgré sa taille, Brad pesait plus lourd que je ne l'aurais pensé et je commençais à être fatigué. Je suis bientôt arrivé devant une salle de pachinko *. Je suis entré, assailli par les lumières criardes et le cliquetis fou des machines. J'ai pris un panier de billes au comptoir et je suis allé m'asseoir devant une machine libre. J'ai posé le sac à ma droite, j'ai allumé une cigarette et j'ai commencé à jouer.

Hypnotisé par l'éclat argenté des billes et leur claquement sec contre la paroi vitrée du pachinko, je repensais à la rencontre que j'avais faite au Sombrero quelques heures plus tôt.

J'avais proposé un autre café à la jeune fille tout en continuant de bavarder avec elle.

« Autrement dit, vous faites l'école buissonnière ! » s'est-elle exclamée, toujours en français, lorsque je lui ai expliqué m'être rendu à Shibuya sans but précis, simplement pour me détendre.

* Jeu à mi-chemin entre le flipper et la machine à sous.

J'ai failli lui donner la véritable raison : je venais d'être licencié, j'étais complètement désorienté, assommé, désespéré.

« L'école buissonnière ? ai-je lentement répété, ignorant la signification de cette expression.

– Vous séchez, quoi !

– Oui, ai-je répondu, en quelque sorte !

– Et ça a le droit de sécher, un cadre supérieur ? Je croyais que c'était un privilège réservé aux lycéens !

– J'avoue que c'est la première fois que cela m'arrive… C'est aussi la première fois de ma vie que je m'adresse en français à une lycéenne. »

Nous avons poursuivi la conversation en japonais.

Elle m'a soudain dévisagé d'un air grave, la tête penchée.

« Vous croyez que cela veut dire quelque chose ?

– Quoi donc ? ai-je répondu en portant ma tasse de café à ma bouche pour me donner une contenance.

– Notre rencontre ! Un cadre entre dans un café où il n'a jamais mis les pieds, à une heure à laquelle il est censé être encore à son bureau. Là, il tombe sur une lycéenne qui vient de temps à autre y tromper son ennui. Au bout d'un moment, il remarque ce qu'elle lit. Ils découvrent alors qu'ils ont vécu dans la même ville d'un pays lointain dont ils parlent tous deux la langue… Cela ne peut pas être une coïncidence ! Cela signifie forcément quelque chose !

– Je ne sais pas… Le hasard offre si peu de prise à la raison… », ai-je répondu.

Dans ma tête, la petite voix continuait de murmurer : « Tout est écrit. »

« Statistiquement, il n'y avait aucune chance pour que nous nous rencontrions, a-t-elle poursuivi. Notre prof de maths est en train de nous enseigner le calcul des probabilités. Je ne crois pas qu'il se risquerait à appliquer une formule à un tel événement… Et pourtant, il doit bien y avoir une raison pour que cet impossible-là se produise ! »

J'ai essayé en vain de me remémorer mes lointaines connaissances en la matière. Je ne voyais pas non plus comment un tel moment aurait pu être mis en équation. J'ai haussé les épaules pour masquer ma gêne.

« Ne rêvons pas… Je ne crois pas qu'il y ait la moindre signification à tout cela. Nous sommes juste comme deux étoiles qui, par un effet d'optique, donnent l'impression de briller dans le même coin du ciel malgré l'incroyable distance qui les sépare.

– Soit. Mais il arrive parfois que certaines finissent par se rapprocher l'une de l'autre, jusqu'à se frôler…

– Vous oubliez que nous sommes des êtres humains… Nous avons une volonté, nous sommes maîtres de nos mouvements, même si nous évoluons dans un cadre bien déterminé, surtout ici, au Japon… »

Tandis que je me livrais à cette petite démonstration, la voix cachée dans les replis de mon cerveau hurlait : « Menteur ! Menteur ! »

« À voir ! La vie est peut-être moins bête que vous ne la décrivez ! » a-t-elle conclu en finissant de boire son café.

Elle a rangé son iPod et sa bande dessinée dans sa sacoche, m'a remercié et m'a salué d'un bref hochement de tête avant de se lever. Je me suis senti un peu ridicule, affalé sur cette banquette trop basse, le nez à hauteur de sa poitrine. L'instant d'après elle était partie, j'ai aperçu à travers la vitrine sa silhouette aux contours flous qui s'éloignait dans la rue. Il m'a semblé qu'elle se retournait vers moi en m'adressant un signe de la main.

« Mais pourquoi une inconnue que je ne reverrais sans doute jamais aurait-elle fait cela ? » me demandais-je à présent tout en poursuivant ma partie de pachinko.

Un type au pantalon et aux chaussures maculés de plâtre s'est assis à côté de moi, me tirant de ma rêverie. Un ouvrier travaillant dans le quartier, sans doute. À ses pieds, il y avait quatre paniers de billes remplis à ras bord. Il s'est baissé pour en prendre un, son genou a heurté le mien. Il s'est retourné vers moi avec un geste d'excuse. Son regard s'est soudain figé sur le sac posé entre nous.

« Eh, mec ! Ça gigote là-dedans ! C'est pas un serpent, au moins ? »

J'ai baissé les yeux : effectivement, le sac était comme animé de spasmes de plus en plus violents. Brad n'était pas mort ! Je me suis retourné vers l'ouvrier et je lui ai répondu le plus platement possible :

« C'est mon chien, un chihuahua. Il adore venir avec moi jouer au pachinko !

– Un chihuahua ? Ça coûte cher, ces bestioles ! T'as du fric à gaspiller, toi ! C'est bien le chien de la pub à la télé ? »

Et, sans plus faire attention à moi, il s'est remis à jouer en sifflotant le jingle de la pub en question.

Dans son sac, Brad remuait de plus belle et commençait à pousser des jappements aigus. J'ai ramassé mon panier de billes et je l'ai échangé au comptoir contre trois paquets de cigarettes Peace. Une horloge digitale indiquait deux heures du matin. J'avais joué plus longtemps que je n'aurais pensé. J'ai quitté le pachinko, le sac où était enfermé Brad sous le bras.

Une fois dehors, je l'ai aussitôt libéré et l'ai serré doucement contre moi, indifférent au regard étonné des passants. Brad était encore sous le choc du coup que je lui avais porté. Il tremblait de tout son corps et gardait les yeux fermés, mais il semblait récupérer plutôt bien.

Dorlotant le petit chien comme je n'aurais jamais imaginé le faire quelques heures plus tôt, je me suis dirigé vers la station de taxi devant la gare et suis monté dans la voiture en tête de file. Le chauffeur a regardé Brad avec suspicion.

« Il ne fait pas sur lui, au moins ?

– Ce chien est parfaitement éduqué ! » ai-je répondu d'un ton scandalisé.

Rassuré, le chauffeur a démarré et, plus conciliant, il a repris la conversation.

« C'est quoi comme race ? Il est drôlement petit !

– Un chihuahua.

– Ah ! Je vois ! C'est le clébard de cette pub, à la télé ! »

Brad s'est endormi dans mes bras. Il me tenait chaud. Comment pouvait-il s'abandonner avec tant de confiance après ce que je lui avais fait ?

J'ai fait arrêter le taxi dans la rue en contrebas de chez moi pour ne pas réveiller ma famille.

Une fois rentré et déchaussé, je suis allé déposer Brad dans sa corbeille à la cuisine. Il a émis un petit grognement de satisfaction et s'est lové dans sa couverture sans ouvrir les yeux.

Avant de me coucher, je me suis servi une longue rasade de Chivas. Je devrais bientôt me rabattre sur une marque plus classique et surtout beaucoup moins chère… Puis je me suis allongé sur mon futon et j'ai aussitôt sombré dans le sommeil.

Je me suis levé le lendemain matin un peu plus tard que de coutume. Après mon bain, je suis passé à la cuisine prendre un verre d'eau pour me dégager la gorge. Kaori a sursauté en m'entendant entrer. Je me suis demandé pourquoi elle était si nerveuse. Elle s'est retournée vers moi.

« Je croyais que tu étais déjà parti ! Tu es bien tardif aujourd'hui. Ce n'est pas toi qui fais le discours d'ouverture, ce matin ? »

J'ai marmonné une vague réponse. Brad est venu se frotter contre ma jambe, la queue basse.

« Brad est bizarre, ce matin. Regarde comme il te fait la fête…

– Il aura bu un whisky de trop la nuit dernière. »

Sans attendre la réplique acerbe que Kaori s'apprêtait visiblement à me lancer, j'ai quitté la cuisine, j'ai enfilé mes chaussures dans le vestibule et je suis sorti en jetant par-dessus mon épaule la formule traditionnelle quand on quitte son domicile.

En descendant vers la gare, je me suis dit que Kaori et moi ne nous étions pas parlé autant depuis bien longtemps.

9

Kaori

Treize heures. Le déjeuner de ma belle-mère était prêt. Comme d'habitude, j'ai préparé le plateau, versé le gruau fumant saupoudré de copeaux de bonite séchée dans un grand bol décoré de personnages jouant à la toupie. J'ai ajouté dans un ravier les condiments dont elle raffolait et deux prunes salées – elle prétendait que celles-ci étaient à l'origine de son agilité intellectuelle. J'ai pris le plateau et je me suis dirigée vers sa chambre. J'ai demandé si je pouvais entrer, mais elle n'a pas répondu. J'ai attendu quelques instants, puis j'ai posé le plateau sur le plancher et j'ai fait coulisser la porte.

Elle gisait dans la ruelle à côté du lit. Sa tête reposait sur le plateau qui lui servait de table de nuit. En tombant, elle avait heurté une tasse, le thé s'était répandu sur ses cheveux, son front et ses joues. Ses yeux grands ouverts me fixaient sans me voir. J'ai eu un mouvement de recul, mon coude a heurté le bol de gruau, qui s'est renversé sur le plateau. J'ai tout laissé en l'état et je suis retournée à la cuisine. Brad m'a regardée depuis son panier d'un air fatigué. Le pauvre chéri avait tant gambadé la veille sur la plage... Hideaki était au lycée, Satomi à l'université... J'étais seule avec mon petit compagnon et le cadavre de ma belle-mère.

Je me suis assise pour réfléchir quelques instants. Téléphoner à mon mari tout de suite, bien sûr. Mais à qui d'autre ? Je n'avais aucune idée de ce qu'il convenait de faire. Tous les décès auxquels j'avais été confrontée jusque-là, celui de mon beau-père, de mes grands-parents, avaient eu lieu à l'hôpital.

Avant d'appeler Jinwaki, j'ai branché l'ordinateur posé dans l'alcôve à côté de la télévision, j'ai ouvert Internet et j'ai tapé sur le moteur de recherche « mort à domicile ». J'ai lu rapidement les entrées qui s'affichaient à l'écran : « En cas de décès à domicile, ne pas appeler les pompes funèbres tout de suite. Elles ne peuvent en effet exercer sans un certificat émis par les autorités compétentes. Sans ce document, on ne peut procéder aux funérailles… » En résumé, je devais d'abord appeler le médecin de famille, l'hôpital le plus proche ou encore la police afin de signaler le décès, d'en déterminer les causes et d'obtenir un certificat. En aucun cas je ne devais toucher au corps avant que ces formalités ne soient accomplies. Les explications étaient froides, cliniques, sans fioritures.

J'ai pris le téléphone et j'ai composé le numéro du département de Jinwaki. Une secrétaire m'a répondu : il était dans les étages du magasin. Elle m'a fait patienter quelques minutes.

Je ne devais paraître ni trop froide ni trop choquée : mon mari connaissait parfaitement l'état de mes relations avec ma belle-mère. Il n'a jamais été très courageux avec elle. S'il ne prenait pas ouvertement parti contre moi dans les conflits qui m'opposaient à elle, il ne prenait pas non plus la peine de me défendre et se défilait le plus souvent, me conseillant simplement d'être patiente et de me conformer strictement au rôle qu'une belle-mère est en droit d'attendre de sa belle-fille. Ma relation avec mon mari en a pâti. Les seuls moments de sérénité ont été durant nos années en France, car sa mère était trop loin pour me nuire. Jinwaki semblait soulagé, son comportement était plus naturel, débarrassé de la sacro-sainte contrainte du respect filial.

Nous avons enfin été mis en contact.

« Je viens de porter le plateau du déjeuner à ta mère, lui ai-je expliqué après qu'il m'eut demandé ce qui se passait. Elle est écroulée sur le flanc, les yeux révulsés, la bave aux lèvres. Je l'ai appelée plusieurs fois mais elle ne m'a pas répondu. Je n'ai pas osé la toucher. Je crains qu'elle ne soit morte.

– Tu as appelé la police ?» a-t-il questionné d'une voix neutre, un peu lointaine.

J'ai cru un instant qu'il n'avait pas compris ce que je lui avais dit.

« La police ? Pourquoi la police ?

– Je ne sais pas, moi ! Ce n'est pas ce qu'on fait quand on découvre un cadavre ?

– Mais ce n'est pas un cadavre ! C'est ta mère ! Je pense qu'elle a eu une attaque. Depuis quelques jours, elle faiblissait.

– Je n'ai rien remarqué. Tu aurais pu me le dire. »

Pour la première fois, j'ai senti dans sa voix une émotion. Pas du chagrin, mais comme un regret, l'ombre d'un remords. Il est vrai qu'il n'avait pas mis les pieds dans la chambre de sa mère depuis plusieurs semaines, alors que d'habitude il s'y rendait tous les matins avant de partir travailler. Son comportement est de plus en plus erratique ces derniers temps, sans que j'arrive à comprendre ce qui va de travers. Après un court silence pendant lequel je ne percevais que sa respiration rauque de fumeur, j'ai repris la parole.

« Appeler la police… cela me paraît disproportionné… Je vais plutôt téléphoner à l'hôpital de Kamakura. Ils me diront quoi faire, eux !

– Veux-tu que je rentre ?

– Si tu peux te dégager de tes obligations professionnelles, je pense que ce serait mieux. Il va y avoir des formalités à remplir, et je ne suis pas certaine qu'elles soient de mon ressort.

– Bon. J'arrive, a-t-il répondu après un instant d'hésitation. Cela coûte cher, un enterrement ! a-t-il ajouté. Il va falloir faire au plus simple. De toute façon, elle ne connaissait plus grand-monde. »

Sa froideur et son réalisme m'ont rassurée. Ma belle-mère recevrait l'attention qu'elle méritait, ni plus ni moins. Moi, j'avais été irréprochable dans mon rôle de bru, peu importaient désormais mes états d'âme et ma rancœur.

J'ai coupé la communication avec Jinwaki et j'ai composé le

numéro de l'hôpital de Kamakura. On m'a répondu après quelques questions de routine qu'un médecin se rendait immédiatement chez nous pour constater le décès. Celui-ci est arrivé une demi-heure plus tard. Je l'ai accompagné dans la chambre de ma belle-mère et suis restée agenouillée sur le seuil tout le temps qu'il a procédé à l'examen du corps. Il s'est enfin redressé et je l'ai mené à la cuisine, où je lui ai servi une tasse de thé pendant qu'il rédigeait le certificat de décès en se référant aux papiers d'état civil qu'il m'avait demandé de lui montrer.

« Une mort sans bavure ; elle a eu une attaque. Je ne crois pas qu'elle ait eu le temps de souffrir. Vous ne l'avez pas entendue râler ? Elle n'a pas appelé ?

– Je ne crois pas. Je n'avais pas de raison de m'inquiéter. Quand je lui ai servi son petit déjeuner, elle allait plutôt bien. Nous avons même bavardé un moment. C'est quand je suis revenue lui apporter le repas de midi que je l'ai trouvée... J'ai immédiatement appelé mon mari, puis l'hôpital. C'est tout. »

Le stylo levé, il m'a jeté un regard suspicieux.

« Dites-moi, elle n'a pas l'air de vous faire beaucoup d'effet, cette mort !

– C'est ma belle-mère ! » ai-je répondu, consciente de l'incongruité de ma réponse.

Il m'a regardée un instant, l'air pensif, avant de répondre :

« Ah ! Votre belle-mère... Je comprends. »

Il a rangé son stylo dans une trousse ornée de personnages de dessin animé. J'ai trouvé cela anachronique, ce praticien si sérieux venu constater un décès et qui rangeait ses stylos dans une trousse de gosse. Il a sorti de la poche de son veston un sceau qu'il a apposé au bas du certificat puis il m'a tendu ce dernier.

« Voilà ! Ne le perdez pas, vous allez en avoir besoin pour les pompes funèbres et la déclaration du décès à la mairie. Sans cela, votre belle-mère n'est pas officiellement morte... »

Je me suis inclinée, une expression neutre sur le visage. Il a bu une gorgée du thé, a pris sa sacoche et s'est levé.

« Pour la toilette de la défunte, m'a-t-il dit, laissez les spécialistes s'en occuper. Ce n'est jamais facile à préparer, un corps... Rigidité cadavérique... Vous comprenez ? »

J'ai acquiescé d'un mouvement de tête et je l'ai raccompagné dans l'entrée. Après avoir enfilé ses chaussures, il m'a saluée, une petite lueur espiègle dans le regard.

« Le décès d'une belle-mère, dans une vie d'épouse, ce n'est pas rien ! Je vous présente tout de même mes condoléances les plus vives. »

Je n'ai pas réagi, me contentant de saluer à mon tour, profondément, et de rester tête baissée jusqu'à ce qu'il ait refermé la porte sur lui en sortant.

Jinwaki est arrivé vingt minutes plus tard. Entre-temps, j'avais un peu arrangé la chambre, allumant quelques bâtonnets d'encens qui se consumaient en volutes bleutées en répandant un parfum d'épices. J'avais aussi recouvert la partie basse du corps de ma belle-mère d'un drap-éponge. Je ne voulais pas que mon mari la voie dans cet état. Le médecin avait fermé les yeux et la bouche de la morte et avait utilisé l'oshibori que j'avais posé sur le plateau du déjeuner pour lui nettoyer le visage. Son masque de malveillance s'était évaporé avec sa vie. Je me suis sentie reconnaissante envers ce docteur qui avait eu la délicatesse de lui rendre un peu de dignité. J'avais même eu le temps d'aller me changer : robe et bas noirs de circonstance.

Quand j'ai entendu claquer le portillon de la rue, je me suis précipitée dans le vestibule pour accueillir Jinwaki.

« Pardonne-moi. Je n'ai pas été assez attentive. Tout cela est de ma faute. J'aurais dû faire plus attention, rester à ses côtés... »

Il a haussé les épaules et a posé la main sur mon bras avec un regard de reconnaissance. J'ai frissonné. Nous ne nous étions pas touchés ni regardés ainsi depuis si longtemps !

« Tu n'y es pour rien. Tu as toujours fait ton devoir de manière impeccable. »

« Impeccable » : c'était le terme, en effet. L'urine dans le thé de ma belle-mère, les objets poussés chaque jour un peu plus hors de sa portée… toutes ces petites mesquineries n'avaient eu aucune incidence sur la façade sociale de mon rôle. Au bout du compte, ne lui avais-je pas rendu service en la laissant mourir tranquillement dans son coin ? J'aurais pu me précipiter pour appeler une ambulance, la faire transporter aux urgences, cela l'aurait sans doute tirée momentanément d'affaire, mais l'aurait certainement laissée dans un état végétatif qui lui aurait été insupportable et aurait compliqué notre vie à tous.

C'est l'âme sereine que j'ai suivi mon mari jusqu'à la chambre de sa mère où je me suis agenouillée à ses côtés, silencieuse. Il est resté immobile un long moment, sans émotion apparente. Il ne la regardait pas vraiment. Il semblait plongé dans le passé, un passé lointain où ni nos enfants ni moi n'existions encore, son enfance, où il retrouvait la voix de sa mère, les berceuses du soir, la soupe de miso qu'elle préparait pour lui. Avant d'être cette vieillarde acrimonieuse et repoussante, elle avait été une mère aimante, attentionnée, prévenante. Je devinais tout ce qui traversait l'esprit de mon mari en cet instant, ressentant une tendresse inattendue, la tendresse de la mère que j'allais pouvoir devenir à mon tour pour lui s'il le souhaitait.

On a sonné à la porte. Respectant son recueillement, je me suis relevée aussi silencieusement que possible. Ma robe a bruissé sur le tatami, ébréchant un bref instant l'harmonie qui régnait dans la chambre. Je me suis rendue dans le vestibule pour ouvrir. C'était un représentant de l'entreprise des pompes funèbres d'Oofuna que j'avais contactée une demi-heure auparavant. Il s'est profondément incliné devant moi en prononçant une élégante formule de condoléances.

Je me sentais complètement rassurée : nous allions avoir un cérémonial « impeccable » et, cette fois encore, les apparences seraient sauves. Je l'ai invité à entrer dans la maison.

10

Saya

J'avais décroché le gros lot avec le médecin légiste. Il était terriblement conventionnel, ennuyeux, insipide, routinier, dépourvu d'imagination, mais il payait bien. Ce n'est pas avec lui que je risquais d'en savoir plus sur le sexe et ses plaisirs. Jamais il ne m'a demandé de lui faire des trucs bizarres, et, au fond, ce n'était pas plus mal. Mais il faut être tordu pour choisir un tel métier. Passer son temps à découper des cadavres… et en plus il en était fier ! Il m'en parlait toujours après le sexe. Mon tarif a pratiquement doublé du jour où il m'a convoquée dans un hôtel. 430 000 yens, en un mois et à mon âge, c'est astronomique ! Du coup, j'ai pu me payer tout le cycle de la *Tétralogie* de Wagner au Centre culturel d'Ueno, et même en faire profiter ma meilleure copine. Je lui ai dit que les places avaient été offertes à mon père par une grande firme automobile qui sponsorisait la tournée de l'orchestre. À mes parents, j'ai raconté l'inverse, que j'étais invitée par une copine dont le père était en charge du mécénat dans la même firme. Un mensonge divisé en deux, en somme. En faisant un rapide calcul avant de réserver les billets sur Internet *via* mon téléphone mobile, je me suis aperçue que j'allais être un peu juste. J'ai donc proposé à mon médecin légiste une séance supplémentaire, autrement dit deux rencontres en une semaine. Ce petit bonus lui a fait tellement plaisir qu'il a rajouté 30 000 yens dans mon enveloppe. Décidément, il était accro.

Ce n'est pas souvent qu'on peut assister à l'intégrale de *L'Anneau du Nibelung*. Et puis, il faut voir le *Ring* au moins une fois dans sa vie quand on est passionné de musique classique comme je le suis. Bien entendu, cela doit être plus authentique à Bayreuth, mais qui dit que je pourrai y aller un jour… En y mettant le temps et l'application nécessaires, pourquoi pas ?

J'ai réussi à trouver des places pour les quatre représentations prévues au programme. Ma copine a passé le plus clair de son temps à dormir. J'avoue qu'il m'est moi-même arrivé de somnoler. Pour être franche, je ne suis pas une inconditionnelle de Wagner : je le trouve lourd, d'une lenteur parfois horripilante ! Par exemple, je n'ai pas compté le nombre de fois où Tristan et Isolde se disent « je t'aime ». Nous, les Japonais, nous sommes plus sobres et plus pudiques dans l'expression de nos sentiments. L'essentiel est de se sentir en harmonie avec l'autre. L'amour est une chose que l'on porte en soi sans que l'on ressente nécessairement le besoin de l'exprimer. Pour ma part, hormis ma famille, je crois bien que je n'ai encore jamais aimé personne. Je suis bien avec mon copain, j'ai parfois envie de passer un moment auprès de lui, j'aime bien faire et voir des choses avec lui, pas tellement coucher, mais je ne me vois pas lui dire « je t'aime » : cela ne serait pas sincère. Bref, tout cela ne m'avait jamais vraiment tourmentée jusqu'à ces derniers temps.

Jusqu'à cette rencontre au Sombrero.

Le Sombrero, j'y vais de temps à autre, quand j'ai un moment à tuer ou que je ne me sens pas trop de rentrer directement à la maison affronter la Lumineuse Simplicité de Maman. Je m'entends très bien avec mes parents, là n'est pas la question. Ils sont plutôt cool avec moi. Mais la Lumineuse Simplicité de Maman, c'est sa façon de voir la vie depuis un petit nuage d'où tout semble si facile à comprendre, à gérer, à superviser. Une autoroute rectiligne avec quelques courbes sécurisées qu'on peut négocier sans lever le pied, des stations de repos fleuries, des bifurcations sans surprise qui se présentent au moment voulu : naissances, éducation, promotion du mari, décès des beaux-parents, Shichi Go San *, fête de la gymnastique à l'école, retour au pays pour nettoyer la tombe des ancêtres au moment de l'O Bon **... J'admire et je respecte la Lumineuse Simplicité de Maman, mais elle me pèse.

Le Sombrero, c'est un endroit ni dangereux ni sulfureux, un cocon où je me sens en sécurité. C'est ma halte buissonnière, mon jardin secret, que je ne partage avec personne. Je n'y reste jamais très longtemps, une heure tout au plus, le temps de boire un café qui me fait rêver de ces destinations exotiques que le patron sait si bien raconter. Une fois servie, je m'isole en écoutant de la musique classique que j'ai téléchargée sur mon iPod, plongée dans un livre écrit en français. Pour la musique, j'ai mes périodes. Il y a trois mois, c'était Mozart. À l'occasion du deux cent cinquantième anniversaire de sa naissance, il y a eu un tas de nouveaux enregistrements exceptionnels de ses œuvres. Mais, depuis peu, je suis passée à Haendel. Pour les livres, cela va du très sérieux comme Camus ou Chardonne, un écrivain à la prose limpide inconnu au Japon, au très divertissant comme les albums d'Astérix ou de Corto Maltese, une bande dessinée que les Français vénèrent.

C'est précisément un soir où j'écoutais Haendel que je l'ai rencontré. J'étais tranquillement assise dans mon coin avec une bonne BD, plongée dans ma bulle. Je ne lisais pas vraiment, m'étant laissée emporter par le deuxième mouvement du Concerto n° 11 en *sol* mineur pour orgue et orchestre. Cette mélodie est sidérale, elle a le don de me projeter à des années-lumière de ma petite vie de lycéenne. Quand je pense qu'il y en a qui ont besoin d'ecstasy pour arriver au même effet... Je n'avais pas remarqué que quelqu'un était assis à la table qui faisait face à la mienne. C'était un homme d'âge mur. J'ai compris qu'il s'adressait à moi quand j'ai vu sa bouche remuer. On se serait cru dans un film muet. Agacée, j'ai retiré mes écouteurs : à ma grande surprise, il

* Fête des petits garçons de cinq ans et des petites filles de trois et sept ans.
** Fête des Morts, au mois d'août.

me parlait en français, et c'est en français que je lui ai répondu. Il est venu s'asseoir en face de moi, il m'a offert un café et nous avons commencé à bavarder.

Malgré sa mine avenante, quelque chose clochait chez ce type en costume-cravate. J'ai d'abord pensé être tombée sur un de ces mecs à la recherche de filles en uniforme et qui infestent les cafés du quartier la nuit venue. Mais le Sombrero n'est pas un lieu où l'on fait de telles rencontres: le patron veille à sa réputation. Et puis, l'inconnu n'avait pas dans les yeux cette lueur de parieur dans les arènes de combats de tosas *. Au contraire, il me semblait qu'il y avait en lui une certaine mélancolie, et que j'étais une diversion inattendue dans une journée suffisamment rude pour qu'il s'échappe de son bureau et vienne s'égarer dans Cat Street.

Moi, j'ai trouvé incroyable que, dans ce café où on ne voit pratiquement jamais un seul vieux, je me retrouve face à un type qui parlait français et avait vécu à Paris à quelques pâtés de maisons seulement de la rue où nous habitions ! Comme toutes les filles de mon âge, je suis un peu superstitieuse, je crois aux signes. Je lui ai demandé ce qu'il pensait du hasard qui nous avait fait asseoir l'un en face de l'autre. Tandis qu'il s'évertuait à me démontrer que tout cela, c'était des fadaises, je l'ai bien observé : je le trouvais à mon goût, bien mieux en tout cas que le médecin légiste. Il était plus jeune, les cheveux agrémentés de quelques reflets argentés et un début de calvitie. Sa voix était chaude, elle vibrait dans ma poitrine d'une manière agréable. Il avait de belles mains longues, des mains de pianiste. Son érudition musicale, surtout, m'a laissée pantoise. Il avait été capable de reconnaître le Concerto n° 11 en *sol* mineur pour orgue et orchestre de Haendel à une ou deux mesures filtrant des écouteurs de mon iPod... Les gens de son âge, leur répertoire, c'est plutôt Southern All Stars ou de vieux chanteurs pop perclus de rhumatismes comme Inaba Akira ! Malgré la lueur tracassée dans son regard, il pouvait faire un client agréable... J'ai

* Chiens de combat de l'île de Shikoku.

fait ce qu'il fallait pour le ferrer, même s'il n'avait pas l'air d'être du genre à verser dans les fameux « rapports subventionnés » dont les médias évitent soigneusement de parler.

« Rapports subventionnés »... Un bel euphémisme, bien de chez nous, pour désigner un problème de société. Moi, je suis bien consciente que je suis devenue un problème à la minute même où j'ai pris l'argent de l'ami de mon père. Mais, comme je l'ai dit, je crois aux signes. Je l'ai dit une dernière fois à l'inconnu, malgré le raisonnement qu'il m'opposait, puis j'ai pris mes affaires et je suis partie. Une fois sortie, je suis passée devant l'endroit où il était encore assis, en contrebas, derrière la vitrine. Je me suis retournée et je lui ai fait un petit signe de la main : j'étais certaine qu'il ne m'avait pas lâchée du regard.

11

Jinwaki

Curieusement, le décès de ma mère m'a laissé presque indifférent.

« Le plus dur, m'avait-elle dit après la disparition de mon père, c'est de perdre le deuxième parent. Tu réalises qu'il n'y a plus personne devant toi. » Ses paroles m'avaient d'abord révolté : voulait-elle relativiser le vide que laissait mon père, ou ironisait-elle sur la peine que j'avais toutes les difficultés du monde à ne pas laisser éclater, écornant la dignité dont doit faire preuve le fils aîné en pareilles circonstances ? Plus tard, j'ai compris que cela n'était rien de plus que le constat de sa propre expérience, qu'elle avait voulu partager avec moi pour me consoler et m'aider à être plus solide dans l'épreuve du deuil.

Pourtant, quand Kaori m'a téléphoné pour m'annoncer la nouvelle, je n'ai pas ressenti ce vide dont m'avait parlé ma mère autrefois. J'étais en train de régler un problème avec le père d'une vendeuse que nous avions été obligés de mettre à la porte pour incompétence. J'avais devant moi un homme parfaitement indigné que nous traitions sa fille ainsi. Il avait le même âge que moi, mais un abîme d'incompréhension nous séparait. Il ne voulait pas admettre que sa fille de vingt-cinq ans soit autre chose qu'un monument de perfection, et il prenait sa défense comme si elle était encore au jardin d'enfants. C'est à cause de ce genre de comportement que notre société pourrit par la tête. Les enseignants n'osent plus réprimander leurs élèves, de peur de voir les parents venir leur mettre leur poing dans la figure. Tout le système semble se liguer pour engendrer des citoyens irresponsables. Kaori ne m'avait encore jamais téléphoné aux heures de bureau. J'ai réussi à me dépêtrer du bonhomme avec une vague formule de politesse, lui conseillant simplement de prendre un avocat, avant de quitter le magasin.

Une fois à la maison, j'ai remercié mon épouse pour tout ce qu'elle avait fait au fil des ans pour une belle-mère qu'elle ne portait pourtant pas dans son cœur. Je crois que mon tact et ma retenue l'ont touchée. Je me suis recueilli un long moment devant la dépouille de ma mère, puis j'ai été obligé de retourner au magasin, laissant Kaori s'occuper des formalités en prévision des obsèques.

Il n'y avait pas encore d'annonce officielle de mon départ, mais dans l'entreprise on commençait à savoir que j'étais de la prochaine fournée. Je l'ai bien vu à la façon dont les vendeuses me saluaient avec moins de déférence, retournant à leurs occupations aussitôt après mon passage dans les rayons.

L'inconcevable s'était produit. Il aurait fallu que je m'applique à le cerner, à lui donner une forme, une consistance, à le matérialiser afin d'être en mesure de le gérer. Au lieu de quoi je me laissais aspirer dans un puits sans fond.

J'avais voulu croire un moment que le directeur du magasin de Yokohama, le gendre du président, viendrait à mon secours. Je lui avais tant de fois servi d'intermédiaire, autrefois, à Paris, monnayant la réussite de négociations menées pendant de longs mois en sous-main par mes soins et qui aboutissaient miraculeusement lors de ses passages en France... J'avais appelé le chef de son secrétariat, un de mes anciens camarades d'université, qui jouait au club de rugby avec moi. La confiance et l'amitié avaient-elles une chance de renaître, dans notre milieu où seule compte la cohésion du groupe ? Mon collègue avait d'abord fait mine de m'éconduire, gentiment, mais fermement : « Tu sais, il a déjà assez de soucis en ce moment, alors je ne vais pas en ajouter un autre à son agenda... »

Il avait marqué une pause, puis il a poursuivi en baissant la voix. Le gendre était entré en disgrâce après avoir tenté de raisonner son beau-père, qui persistait dans ses erreurs et ses choix désastreux. Il avait disparu depuis la veille des étages du magasin où il avait l'habitude de passer à l'heure de l'ouverture et n'était pas revenu à son bureau depuis. Déjà, continuait mon ami, certains émettaient l'hypothèse d'une dépression, d'autres parlaient d'un cancer foudroyant de la vésicule biliaire… Au fond, sa disparition ne changeait rien à la mécanique de notre machine, me suis-je dit après que mon ami eut raccroché. La veille, le gendre était présent, il était un rouage essentiel à la bonne marche de l'affaire, par son entregent, par l'influence qu'il exerçait encore sur son beau-père, par les multiples contacts qu'il maintenait avec nos banquiers trop patients et les hommes politiques trop complaisants. Le lendemain, il s'était évaporé, mais le vaisseau poursuivait imperturbablement sa route.

Quant à moi, j'étais insignifiant, inutile, interchangeable. Mon absence n'aurait pas la moindre incidence sur la marche de l'entreprise. Je me suis bouclé dans mon bureau, fumant cigarette sur cigarette, avalant café sur café. Les pensées les plus folles me traversaient l'esprit : égorger Brad pour de bon, étrangler ma femme, dépecer mes enfants, me jeter sous un train en entraînant deux ou trois passagers…

C'est le café Sombrero qui m'a tiré de cette spirale de dépression.

J'y suis retourné trois fois dans la semaine qui a suivi ma première visite. Sans vouloir me l'avouer, j'espérais y retrouver la jeune lycéenne qui parlait français et écoutait de la musique classique en lisant une bande dessinée.

Le lundi, elle n'est pas venue. J'ai attendu en bavardant avec le patron, assis à la même table que lors de ma précédente visite, sirotant un café tout en feuilletant distraitement les mangas écornés qui s'empilaient dans un coin.

Le surlendemain, il n'y avait que deux couples de jeunes gens silencieux au fond du café, excentriques pantins lunaires. Je me suis demandé ce qu'ils pouvaient bien faire dans la vie. Je ne voyais aucun cadre qui convienne à leur dégaine, à part les boutiques de nippes de Takeshita Dori. J'en ai conclu que c'était des vendeurs de ces minuscules échoppes. Ayant attendu vainement jusque vers vingt heures, j'ai décidé de rentrer à Kita Kamakura. Je suis parti dans Cat Street. La rue et son vacarme m'ont happé comme un trou noir. J'en ai eu le vertige et j'ai trébuché sur le pavé inégal de la ruelle. Un gamin effronté avachi sur un banc en train de fumer un cigare de fort calibre s'est exclamé à mon passage: «Eh, le Vieux ! On tient mal l'alcool ?» J'ai eu envie de sauter sur lui, de lui écraser son cigare dans l'œil et de me repaître du spectacle de son cristallin éclatant en grésillant... Mais bien sûr je ne l'ai pas fait, j'ai étouffé cette pulsion de violence et j'ai passé mon chemin en enfonçant la tête un peu plus dans mes épaules pour qu'il ne puisse lire sur mon visage mon humiliation et ma détresse.

Kaori et les enfants ont paru surpris que je rentre si tôt. Ils étaient en train de regarder un sitcom à la télévision. En me voyant arriver, Hideaki a grogné une vague excuse, il a récupéré son mug de café, le cendrier dans lequel se consumait un mégot qui ressemblait plus à un joint qu'à une cigarette, puis il a filé dans sa chambre. Satomi s'est un peu décalée pour que je puisse m'asseoir sur le canapé. Kaori a posé devant moi un plat de gyozas *, une coupelle dans laquelle elle a mis un peu de sauce de soja et d'huile pimentée, me servant une bière dans un verre étroit sur lequel on pouvait lire: «Coupe du Monde de football, France, 1998.»

«Ce que fume Hideaki, ce n'est pas de l'herbe, juste une cigarette qu'il a roulée lui-même. Il prétend que c'est moins mauvais pour la santé. Moins cher aussi...», a dit Satomi, qui avait capté mon regard interrogateur sur le cendrier.

Elle portait un débardeur qui laissait la moitié de son ventre dénudé. J'ai remarqué qu'il était plat, un ventre de jeune femme. J'ai aussi vu la bille de métal nichée au creux de son nombril.

* Raviolis chinois.

« Tu t'es fait faire un piercing ? Je croyais t'avoir dit que c'était hors de question ! »

Satomi et sa mère ont échangé un regard rapide.

« Papa, tu m'as dit cela lorsque j'avais seize ans ! Je te signale que je suis majeure ! Ceci n'est d'ailleurs pas un piercing, c'est une incrustation ! Je l'ai depuis un an ! J'aurais préféré t'en parler avant de le faire, mais tu n'es jamais là... Sois rassuré, je n'ai pas l'intention d'aller plus loin ! »

J'ai plongé le nez dans mon assiette de gyozas, que j'ai commencé à manger en grommelant pour me donner une contenance. Brad est bientôt sorti de sa panière pour venir se frotter contre mon pantalon. J'ai gratté son crâne un moment sous l'œil éberlué de ma femme et de ma fille, puis je leur ai souhaité une bonne nuit en prétextant la fatigue de la journée. Je me suis rendu dans la salle d'eau pour prendre mon bain.

Le vendredi soir, j'étais de nouveau au Sombrero. Le patron du café m'a servi d'autorité un café, un Santa Catalina du Guatemala.

« C'est nouveau ! m'a-t-il dit en posant la tasse devant moi. Je crois que cet arôme convient à votre goût plutôt... conventionnel ! Je vous conseille de le boire sans sucre. »

J'ai obtempéré. Effectivement, ce café était plus souple au palais que ceux qu'il m'avait servis l'avant-veille. Il est revenu vers moi. Il m'a tendu une enveloppe en papier kraft de grand format.

« La lycéenne, a-t-il dit en voyant mon air surpris. Elle est passée mardi, et hier encore... C'est bien elle que vous attendez ? Décidément, vous jouez de malchance... »

Je n'ai pas répondu, le nez dans mon café.

« Elle m'a aussi demandé de vous transmettre ce message : elle est prise tous les mercredis après ses cours. Les autres jours, son emploi du temps est aléatoire, mais elle vient régulièrement. Ce soir, par exemple, elle ne pourra pas se libérer. »

Des clients sont entrés. Le patron s'est dirigé vers la table où ils s'étaient assis pour leur donner des serviettes chaudes et prendre leur commande sur fond de trompette de Louis Armstrong. J'ai cru reconnaître *West End Blues*.

J'ai ouvert l'enveloppe de papier brun. Dedans, il y avait un album de la même BD française qu'elle lisait la première fois, apparemment le plus récent de la série. Sur la page de garde, elle avait griffonné un court message, en français : « Pour soigner votre nostalgie de la France. » Elle avait signé : « Saya. »

Je n'ai pas songé un instant que ce cadeau était incongru, voire déplacé, ni aux raisons qui avaient pu inciter cette lycéenne à se montrer si généreuse avec un inconnu de trente ans son aîné. La petite musique dans ma tête a repris, ritournelle puérile, ridicule : « Tout est écrit ! Tout est écrit ! »

J'ai feuilleté la bande dessinée, essayant de déchiffrer les allusions à un pays que j'avais quitté plusieurs années plus tôt sans l'avoir jamais vraiment pénétré. Étranger j'avais été en France, étranger je me retrouvais dans mon propre pays à l'heure où il me rejetait. Étranger j'étais devenu pour ma famille également. Ma fille et son ventre plat, ses seins épanouis, la perle dans son nombril, mon fils et ses joints mal roulés, ma femme à la fois dévouée et dépourvue de la moindre empathie à mon égard. Seul Brad me manifestait de l'affection, mais il s'agissait certainement de ce lien étrange unissant la victime à son bourreau…

Cette jeune fille inconnue qui me tendait la main en m'offrant cet album et dévoilait son prénom était pour moi une bouée de sauvetage inespérée. J'avais dépassé le stade où je pouvais analyser froidement l'incongruité d'une telle situation. Saya… Je voulais la revoir.

Le mardi suivant, Saya était déjà installée à sa table, près de la vitrine. Le patron du Sombrero m'a fait signe de la rejoindre. Elle a retiré ses écouteurs et fermé le livre qu'elle était en train de lire. Il s'agissait de *La Stratégie des antilopes*, un livre de Jean Hatzfeld, en français. Le sens du titre m'échappait. Pour lancer la conversation, je lui ai demandé ce que cela voulait dire.

« C'est une image. Pour fuir les lions qui les chassent en bande et tenter de survivre, les antilopes se dispersent dans la savane.

– Et si l'antilope est seule ? ai-je demandé.

– Je suppose qu'elle n'en réchappe pas, a-t-elle répondu en haussant les épaules. Les Tutsis faisaient comme les antilopes pour échapper aux massacres perpétrés par les Hutus. Pourtant, peu s'en sont tirés.

– C'est donc un ouvrage sur le génocide au Rwanda ?

– Pas seulement. C'est plutôt une somme de témoignages sur le retour des Hutus dans leurs villages quand ils sont sortis de prison. Je pense que c'est un livre sur le pardon. On ne trouve pas grand-chose en japonais sur le sujet. Ni sur le Rwanda, ni sur le pardon.

– Peut-être parce que le malheur des autres nous importe peu, surtout quand cela se passe hors de nos frontières. »

Elle m'a regardé fixement. Sa chevelure encadrait l'ovale de son visage. J'ai remarqué la couleur insolite de son iris, un mélange de paillettes bleues et de poussière d'or. Je n'avais jamais vu cela chez une Japonaise. C'était un regard irréel, insondable.

« Vous avez sans doute raison. Après tout, on nous rabâche assez que nous sommes des insulaires… Mais notre incapacité au pardon, à l'indulgence ?

– Je suppose que cela vient du fait que nous ne sommes pas chrétiens : nous ignorons la notion de rédemption. Le salut chez nous ne vient pas du pardon. Pourquoi alors s'encombrer d'une valeur inutile à notre survie ? »

Elle a secoué la tête.

« Le résultat, c'est que le monde ne nous passe rien. Si nous ne savons pas pardonner, comment voulons-nous l'être un jour ? Quoi que nous fassions, aux yeux du monde, nous serons toujours des parias. »

La conversation prenait un tour un peu abstrait et cela me mettait mal à l'aise. Je l'ai invitée à choisir un café.

« Merci pour l'album, lui ai-je dit. Pourquoi avez-vous fait cela ?

– Je ne sais pas, a-t-elle répondu après un instant de réflexion. Pour donner une raison à notre rencontre improbable ? Pour que la vie soit moins bête que vous ne semblez le penser ? Tout cela à la fois, je suppose. »

J'ai gardé le silence. J'étais troublé par cette jeune fille qui posait des questions trop compliquées sur l'âme des Japonais, lisait en français un récit sur les Hutus et les Tutsis, cherchait à donner un sens à notre rencontre, à modeler le hasard pour le transformer en évidence... Son regard étrange me transperçait. J'ai cueilli une cigarette dans le paquet posé sur la table.

« Puis-je en prendre une ? » m'a-t-elle demandé.

Je lui ai tendu le paquet de Peace que j'avais gagné au pachinko la semaine précédente.

« Vous fumez ? lui ai-je dit, surpris.

– Un peu, de temps en temps... Beaucoup moins que les filles du lycée, et seulement quand je me sens bien. »

Je l'ai observée en train d'allumer la cigarette et de tirer dessus sans avaler la fumée.

« Je vous ai apporté autre chose, aujourd'hui ! » m'a-t-elle lancé entre deux bouffées.

Elle a tiré de sa besace un sac de papier blanc fermé par un élastique. Il était léger. J'ai fait mine de l'ouvrir mais elle m'en a empêché en agitant une main devant mon visage.

« Non ! Pas maintenant. Promettez-moi de regarder quand vous serez seul ! »

Intrigué, j'ai acquiescé.

Elle a terminé sa cigarette puis elle a sorti son portable de la poche de son chemisier pour regarder l'heure.

« Il faut que je parte !

– Nous reverrons-nous ? »

– Cela me paraît inévitable, vous ne croyez pas ? » m'a-t-elle répondu en me tendant une main si longue et si fragile que je n'ai pas osé la serrer trop fort.

Une fois sortie, elle s'est retournée vers moi en passant devant la vitrine du Sombrero et elle m'a fait un grand signe du bras avant de s'éloigner dans Cat Street.

J'ai contemplé un moment le paquet posé sur la table basse devant moi, puis, n'y tenant plus, j'ai fini par retirer l'élastique, un de ces banals accessoires dont les filles se servent pour s'attacher les cheveux. J'ai plongé une main dans le sac. Au fond se trouvait ce que j'ai d'abord pris pour un mouchoir brodé. J'ai très vite compris de quoi il s'agissait en réalité. J'ai refermé le sac tout en regardant dans la direction du patron du Sombrero, qui s'affairait derrière le comptoir en me tournant le dos. J'ai fourré le sac dans la poche intérieure de mon veston et je me suis levé pour me diriger vers les toilettes, où je me suis enfermé à double tour. Mon cœur battait très vite, mes mains tremblaient.

Du sac, j'ai sorti une petite culotte en fin coton blanc bordé de dentelle. J'ai fermé les yeux, humant le parfum sucré qui s'en dégageait. Sur un bout de papier plié en quatre, Saya avait noté son numéro de téléphone portable.

J'ai tiré la chasse d'eau pour donner le change, ai passé un peu d'eau sur mes joues en feu avant de retourner dans la salle. J'ai payé les consommations et je suis parti.

12

Kaori

Les funérailles se sont bien passées. Plus précisément, elles n'ont pas été émaillées de ces incidents dont on entend parfois parler : un brûle-encens qui se renverse, les tréteaux du cercueil mal verrouillés qui s'écroulent, une maîtresse qui vient perturber la cérémonie en se lamentant trop bruyamment, un membre de la famille qui s'évanouit sous l'effet de l'émotion ou parce qu'il fait trop chaud sous la tente…

Avec ma belle-mère, aucun risque que l'émotion soit au rendez-vous. Hormis pour sa sœur aînée, qui est venue de Kanazawa malgré son grand âge et qui avait du mal à retenir ses larmes. Et aussi pour Satomi, ce qui m'a surprise.

Ma famille a fait preuve d'une grande dignité. Les enfants se sont bien tenus, à commencer par Hideaki, qui a parfaitement accompli le rituel. D'ailleurs, il n'avait pas le choix : en tant que proche de la défunte, il est passé tout de suite après Jinwaki, sa sœur et moi. Je me demande où il a bien pu apprendre cela. À l'enterrement de son grand-père ? Lui qui ne retient rien !

Satomi aussi a été impeccable dans son rôle de petite-fille éplorée. Elle serrait dans son poing un mouchoir qu'elle portait de temps en temps à ses yeux pour sécher ses larmes, de vraies larmes. Aurait-elle été plus attachée à sa grand-mère que je ne le supposais ? Elle était vêtue d'une robe noire prêtée en catastrophe par les pompes funèbres après qu'elle eut essayé l'ensemble, trop court pour elle, que ma propre mère m'avait acheté quand j'avais son âge, à la mort de mon oncle. Cette robe-là aussi était un peu courte, mais ma fille a de jolies jambes, que ses bas noirs mettaient en valeur. Le noir, c'est une couleur sexy. Même moi, je me suis trouvée seyante dans mon tailleur de deuil. Satomi était ravissante, avec ses cheveux tirés en un chignon qui soulignait le joli triangle de son visage et son maquillage discret. Il faudra que je vérifie dans les photos prises par le photographe des pompes funèbres s'il n'y aurait pas un portrait de Satomi qui pourrait servir pour ses omiai * à venir. Le chagrin la rend encore plus jolie, un peu mystérieuse et hautaine. Les hommes aiment les femmes mystérieuses et orgueilleuses, ce que je ne suis peut-être pas assez. C'est sans doute la raison pour laquelle tous mes omiai ont capoté. Les deux premiers candidats, plus âgés que moi, tous deux docteurs en médecine, et dont le seul point commun avec moi était Keio, l'université que nous fréquentions, n'avaient pourtant rien de bien attirant. Je me voyais mal en épouse de ces médecins ennuyeux.

À l'époque, je couchais avec un copain de la fac qui avait deux ans de plus que moi. Il était plus drôle que ces deux diplômés un peu empotés. L'hiver il faisait du ski, de la voile l'été, il était bronzé toute l'année. Hormis cela, il n'avait rien de plus que les autres garçons, mais j'étais tombée dans ses bras sans trop savoir pourquoi.

Toutes mes copines avaient un copain qu'elles allaient retrouver dans sa piaule en racontant des histoires à dormir debout à leurs parents pour découcher. J'avais l'impression de rester sur le bord du trottoir, surtout en fin de soirée. Moi aussi je voulais avoir les traits tirés certains matins dans l'amphithéâtre, moi aussi je voulais m'émanciper de l'autorité parentale. Ce garçon était bien gentil, il enregistrait pour moi cassette sur cassette de musique pop japonaise ou américaine qu'il passait aussi dans son studio pendant que nous faisions l'amour. Mais je n'étais pas amoureuse.

Avec Jinwaki, cela a été une tout autre affaire. Il m'a d'abord

* Rencontres arrangées en vue de mariage.

fait la cour, l'air de rien, alors que j'étais encore avec ce garçon, qui était son voisin d'amphi. Il ne savait pas que je sortais avec lui. Cela me flattait. Jinwaki a su jouer de ma fibre de midinette. Il ne s'est pas pressé. Il paraissait distant, au-dessus de nos préoccupations d'adolescents en émoi. Cela nous intriguait. Il ne semblait pas profiter de ses années d'étudiant comme nous le faisions tous pour nous amuser, fumer, boire, prendre du bon temps, en somme, avant que ne tombe le couperet du diplôme et de l'entrée dans la vie adulte. Comme s'il voulait prouver qu'il y avait une vie au-delà de l'université, là où nous ne voyions qu'un tunnel après lequel les sorties de piste ne seraient plus tolérées.

Il ne se joignait pas non plus à nos week-ends au ski, dont les filles ne savaient plus trop si le but était de glisser sur les planches ou sous la couette avec un garçon. Le lundi matin, il était frais et dispos, alors que notre bande avait débarqué quelques heures plus tôt à la gare de Shinjuku après un trajet en autocar qui avait duré toute la nuit.

Un jour, au restaurant universitaire, je me suis retrouvée par hasard assise en face de lui. Nous avons entamé notre première vraie conversation. À peine avions-nous posé nos plateaux repas respectifs qu'il m'a attaquée. Son ton était enjoué, mais ses paroles rudes.

« Cela vous amuse tant que ça, vos petits jeux ?

– De quoi parles-tu ? Nous profitons de la vie, voilà tout ! ai-je fait, l'air faussement incrédule.

– Comme s'il n'y avait pas de vie après l'université, c'est ça ?

– Ce sera une autre vie. On y pensera le moment venu.

– Tu as peut-être raison… De toute façon, bons ou mauvais, nous aurons tous nos diplômes, pas vrai ? »

Il a terminé son assiette de riz hayashi * et m'a laissée en plan avec ses questions sans réponses.

* Riz accompagné d'un ragoût de viande de bœuf et de poireaux à la sauce tomate.

Quelques jours plus tard, c'est moi qui suis allée le retrouver à la table de la cafétéria. Il lisait un livre en français tout en grignotant. Sa cuiller restait suspendue de longues secondes au-dessus de son curry.

« Tu parviens à lire dans le texte ?

– Ce n'est pas facile, mais je ne m'en tire pas trop mal.

– Il parle de quoi, ton livre ?

– C'est l'histoire du tout premier grand magasin au monde, racontée par Zola. On pourrait croire que le concept a été inventé par les Américains ou par les Japonais, mais non. Ce sont ces nonchalants de Français ! »

Son érudition m'impressionnait. Cela m'a donné envie de mieux le connaître.

« Tu sais, j'ai pensé à ce que tu m'as dit l'autre jour…

– Quoi ? a-t-il distraitement demandé en levant le nez de son livre pour enfourner une bouchée de riz.

– Ce que nous faisons ici, notre laisser-aller… Ce que nous ferons après, une fois notre diplôme en poche… Nous devrions avoir une vision plus large de la vie, cesser de la considérer comme une succession de petites cases séparées les unes des autres… L'enfance, l'adolescence où nous dévorons tout ce qui nous passe sous la dent parce que nous imaginons que c'est le seul moment de notre vie où nous sommes vraiment libres, puis toutes les autres boîtes : mariage, enfants, vieillesse… Quand on se marie, c'est déjà fini.

– Ta description de la vie n'est pas très folichonne, dis-moi !

– La semaine dernière, j'ai fait deux omiai d'affilée, en kimono, avec déjeuner à l'hôtel Impérial et promenade dans le parc Hibiya. Ce que j'ai entrevu ne m'a pas encouragée à passer à la case suivante !

– Tes parents ont l'air bien pressés de te balancer directement dans la case "mariage" ! a-t-il dit en riant. Cela me pend au nez, à moi aussi. Ma mère a déjà commencé à prospecter, chez nous, à Kanazawa… Mais elle a la décence d'attendre que je sois sorti de l'université… C'était comment ?

– Ennuyeux.

– Je vois… L'ennui avec l'omiai, c'est que c'est trop codifié. On doit avoir l'impression d'être pris dans une nasse, non ?

– Pas vraiment. Ma mère m'a toujours dit que j'étais libre d'arrêter le processus à tout moment. En fait, je crois que ces deux omiai coup sur coup, c'était comme une répétition générale. Maman a certainement un atout dans sa manche. Elle m'entraîne comme si j'étais un jeune pur-sang !

– Tu as l'air de t'y connaître, en courses.

– Comme tout le monde ici, tu sais… Je suis allée à l'hippodrome avec les copines une ou deux fois.

– Comme tout le monde ! a-t-il ricané. Tu as raison, c'est la mode… Faire comme les autres, suivre le mouvement… L'hiver sur les pistes de Zao * et l'été sur les plages de Shonan **… »

J'ai rougi. Sa critique semblait cacher une pointe de jalousie, mais elle visait juste. Sur le moment, j'ai pourtant trouvé ce garçon imbuvable : je l'ai planté là avec son livre sur les grands magasins et son curry en train de refroidir.

J'ai repensé à toute cette époque durant le défilé des condoléances, qui a duré une éternité. Malgré les années, elle est restée présente, éveillant tout au fond de moi un désir d'autre chose qui revient de loin en loin.

À mes côtés, au premier rang, réservé à la famille proche, Jinwaki se tenait, raide et solennel. Il a fait un petit discours de clôture sobre mais touchant, vantant les qualités de sa mère, stoïque dans l'adversité qui avait touché les affaires de son mari et dans sa digne acceptation de son propre handicap à la fin de sa vie. Il est même allé jusqu'à me remercier pour mon dévouement et mon abnégation envers elle. J'ai baissé la tête comme il se doit, modeste, conforme à l'image d'épouse modèle et de belle-fille obéissante. Au crématorium, Jinwaki est resté impassible. En fait, les trois jours qu'ont

* Station de ski célèbre.
** Côte d'Azur japonaise, à une heure de Tokyo.

durés les funérailles, il m'a étonnée par son self-control. Je suis certaine qu'il avait du chagrin, mais il ne l'a pas laissé paraître un seul instant. Je l'ai trouvé détaché, inaccessible à l'événement, comme si tout cela ne le concernait pas. Si je croyais à la métempsycose, je dirais que son âme était ailleurs, dans un autre corps, très loin de sa mère et de nous, sa famille.

13

Saya

Je suis revenue le mardi suivant, pour tenter ma chance. Quelque chose me disait que j'allais revoir cet homme. Le Sombrero ne semblait pas être une destination naturelle pour lui, ni Shibuya, Cat Street ou Harajuku. Il avait échoué là par accident un jour de spleen, c'était clair. Je le voyais plutôt arpenter le quartier de Marunouchi ou le Kabuto-Cho *. Mais il y avait cette certitude d'un destin et, malgré son côté un peu ridicule, j'avais envie de m'y accrocher. Et puis, le Sombrero est un de mes ports d'attache, qu'il y revienne ou pas.

Ce jour-là, le patron du café était d'humeur bavarde. Il m'a accueillie avec une sorte de jubilation réfrénée, s'empressant de m'apporter une serviette chaude et un café, lui d'habitude si nonchalant, presque irrité à l'idée qu'un client vienne perturber sa quiétude de vieux chat solitaire.

« Quelle coïncidence ! » m'a-t-il dit en posant l'oshibori devant moi.

J'ai fait l'oie blanche :

« De quoi parlez-vous ?

– Ce type, l'autre jour, ce cadre qui vous a abordée parce qu'il a vu que vous lisiez un truc en français !

– Le vieux bonhomme ?

– Vieux, vieux… c'est beaucoup dire ! Ce type a la quarantaine, au maximum. "*Life begins at forty*", comme disent les Anglais ! »

* Quartiers des affaires de Tokyo.

J'ai acquiescé d'un air boudeur et vaguement ennuyé.

« Il est revenu hier. Comme il n'est pas du coin, je suis persuadé qu'il était là pour vous.

– Ah bon ? ai-je dit d'un ton désabusé, mais mon cœur s'est mis à battre un peu plus vite.

– Vous voulez mon avis ? Il va revenir encore et encore, jusqu'à ce qu'il vous retrouve. »

J'étais indisponible le lendemain à cause de mon « rapport subventionné » du mercredi, mais j'avais prévu de repasser le jeudi après mes cours. On verrait bien si le hasard accepterait de se transformer en éventualité, l'éventualité en certitude, la certitude en destin.

J'ai apporté une des bandes dessinées qu'il semblait tant apprécier, et que nous avions en double à la maison. J'y ai griffonné la première phrase en français qui m'est venue à l'esprit. Ce qui était important, c'était de lui donner mon nom : je l'ai donc calligraphié avec soin, puis j'ai mis l'ouvrage dans une enveloppe de papier kraft que j'ai fourrée au fond de mon sac. Au café, mon cœur a bondi quand le patron m'a dit que l'homme était revenu la veille. Visiblement, cette histoire de rendez-vous manqués l'amusait follement, elle cassait certainement la routine de son emploi du temps.

« Pourriez-vous remettre ceci de ma part à ce monsieur s'il revient ? ai-je demandé au patron. C'est l'album que je lisais l'autre jour.

– *Quand* il reviendra », a-t-il répondu avec un clin d'œil.

Je me suis demandé un instant si je ne jouais pas avec le feu en faisant du patron mon entremetteur mais, bientôt, mon inquiétude s'est envolée.

Sur le chemin de la gare, j'ai fait un détour par Takeshita Dori. Il y avait des petites boutiques de fringues, du gothique, du gore… le paradis des lolitas, qu'elles soient Princesse Lolita, Grotesque Lolita, Loli Pan, et jusqu'aux Punk Lolita que je croise parfois derrière Shibuya et qui me font un peu peur. Je me demande ce qui pousse les jeunes à se déguiser ainsi. Leur soif d'identité et d'appartenance à un groupe, sous l'apparence de la révolte et de la singularité ? Plus haut dans la rue, je suis passée devant un minuscule magasin de lingerie féminine sexy branchée. Cela m'a rappelé ce que fait une copine pour arrondir ses fins de mois. Elle vend sous zip-lock ses petites culottes à un mec louche. 2 000 yens. Il paraît qu'il y a des malades à qui cela plaît énormément... En tout cas cela m'a donné une idée pour sauter les étapes et passer directement du hasard à la certitude avec l'homme du Sombrero.

J'ai eu beaucoup de chance. Il est venu au café le mardi suivant. Nous avons bavardé de choses et d'autres, de musique classique notamment. Il est drôlement calé : moi qui suis pourtant super branchée sur le sujet, j'ai appris un tas de choses qui m'ont donné envie de parler davantage avec lui. C'était bien la première fois que je ne trouvais pas la conversation avec un homme de son âge ennuyeuse : au contraire, j'avais le sentiment de m'élever. À la fin, il ne savait plus quel sujet aborder pour faire durer le temps. Au bout d'un moment, je lui ai brusquement tendu le paquet, lui demandant de ne l'ouvrir qu'une fois qu'il serait seul. Je ne suis pas certaine que, sur le moment, il ait bien compris ce que je voulais dire.

14

Jinwaki

Dans le train qui me ramenait à Kamakura, la culotte dans la poche de ma veste, je repensais à ce qui venait de se passer. L'effronterie de cette gamine, son impudeur me révoltaient. Si j'avais pu lui courir après et la rattraper, je lui aurais volontiers donné une paire de claques. Mais quand je suis sorti du Sombrero, il était déjà trop tard pour songer à pouvoir la retrouver. Je ne savais même pas dans quelle direction elle était partie.

Une fois dehors, mon premier réflexe a été de balancer dans la première poubelle venue ce morceau de tissu scandaleux, avec le bout de papier plié en quatre sur lequel elle avait noté son numéro de portable. J'aurais ensuite jeté la bande dessinée que j'avais laissée dans un tiroir de mon bureau, au magasin, dans la foulée du grand ménage avant mon départ. J'aurais effacé de ma mémoire jusqu'à son prénom, Saya. Je ne serais plus revenu au Sombrero. Je n'aurais pas non plus arpenté Cat Street sans but, ne me serais pas rendu à Shibuya, n'aurais pas rageusement claqué la porte de mon bureau pour faire l'« école buissonnière »... Si je l'avais pu, j'aurais rembobiné le film de ma vie plus loin encore dans le passé, avant d'être convoqué par mon patron, avant de jouer les grandes gueules et de critiquer les décisions de notre président, avant de faire le choix erroné d'une faction à la fois trop proche de la direction générale et trop éloignée du centre de pouvoir véritable, là où se décidait qui restait et qui devait sauter.

Au bout d'un moment, j'ai réalisé que j'avais commis une erreur en ne me débarrassant pas tout de suite de la culotte et du numéro de téléphone de la jeune fille. Pire, je savais que je ne les jetterais pas non plus en arrivant à la gare de Kita Kamakura. Ma conscience refusait l'évidence du réveil de ma libido, que le défi sans équivoque de cette lycéenne avait excitée. Je me réfugiais derrière la curiosité d'en savoir plus sur cette fille étonnante qui écoutait de la musique classique et lisait des livres ésotériques en distribuant ses petites culottes au premier venu. Elle était provocante, mais ce devait être une oie blanche. Je ne pouvais me résoudre à la voir en femme fatale qui jette son dévolu sur tous les mâles passant à sa portée. Je n'avais pas non plus mesuré à quel point l'annonce de mon licenciement avait déréglé mon jugement, abaissé mes défenses au point que je ne puisse plus réagir sainement à une telle audace.

Je ne suis pas descendu à Kita Kamakura, mais à la gare suivante. Il me fallait occulter l'image de Saya. J'ai décidé d'appeler Yuri, une jeune femme que je n'avais pas vue depuis qu'on m'avait annoncé mon licenciement. Elle vivait seule dans un appartement derrière l'école communale de Kamakura. Vendeuse assignée à une marque de prêt-à-porter italienne, Yuri avait d'abord effectué des petits boulots d'étudiante chez nous avant de postuler pour un emploi permanent après ses quatre années d'université. Elle préparait son concours pour devenir cadre. Deux ans auparavant, juste après la fermeture du magasin, alors que je sortais de mon bureau, elle était entrée en collision avec moi.

« Monsieur le directeur ! Je suis confuse ! Veuillez pardonner mon impudence !

– Ce n'est pas de l'impudence, mais un accident, mademoiselle ! Ne confondez pas les mots, je vous prie ! » avais-je répondu avec une pointe d'ironie.

Elle s'était redressée et s'était une nouvelle fois excusée pour sa maladresse, visiblement embarrassée d'avoir ainsi bousculé le directeur de son étage. Elle portait un jean taille basse incroyablement serré à l'entrejambe. Un court T-shirt complétait son uniforme, dévoilant son nombril et ses hanches. Ses cheveux étaient retenus en queue-de-cheval. Elle avait un joli visage, des lèvres ourlées soulignées par un gloss qui reflétait la lumière des néons du plafond. Les ongles de ses mains étaient impeccablement manucurés.

Je l'avais remarquée depuis un moment, mais jamais je ne l'avais vue de si près. Une ombre de désir m'avait traversé, que j'avais aussitôt réprimée. Les choses en seraient restées là si je ne l'avais retrouvée une demi-heure plus tard à la gare, attendant le même train que moi en direction de Zushi. Il y avait peu de monde sur le quai. Elle m'avait aperçu de loin et m'avait salué en s'inclinant une nouvelle fois.

« Vous habitez vers Shonan ? lui avais-je demandé.

– À Kamakura, derrière la mairie, près de l'école communale.

– Kamakura… Je ne vous avais jamais vue sur cette ligne.

– C'est que je rentre beaucoup plus tôt que vous ! »

Entre-temps, l'express était arrivé.

« Puis-je m'asseoir à côté de vous dans le wagon ? »

Elle avait approuvé d'un simple hochement de tête. Son regard ne me disait pas que j'étais trop hardi ou importun, ni qu'elle acceptait à contrecœur pour ne pas indisposer son supérieur hiérarchique. Au contraire, j'avais eu le sentiment que tout cela lui semblait naturel, prévisible, dans l'ordre des choses. À Oofuna, la rame s'était vidée, mais nous ne nous étions pas écartés l'un de l'autre. Nous ressemblions à un couple qui rentre le soir, fatigué par une longue journée de travail, heureux de se retrouver enfin. Nous avions parlé tout le temps du trajet, de tout et de rien, comme un homme et une femme qui n'ont pas besoin de longues phrases pour se comprendre.

À la gare de Kamakura, je lui avais proposé d'aller boire un verre. Elle avait acquiescé. Nous avions marché jusqu'au Post Office, un bar sur Yuigahama où j'avais mes habitudes. J'avais poussé la porte, m'effaçant pour la laisser passer, un usage que j'avais acquis à Paris et qui ne m'a jamais quitté, bien qu'il surprenne les Japonaises, peu habituées à une telle courtoisie. Une fois installés, nous avions bu du whisky et grignoté des lamelles de sèche lyophilisée. Yuri tenait assez bien l'alcool. Nous avions peu parlé ce soir-là, de même que tous les autres soirs que nous avions ensuite passés ensemble dans ce bar. Quelques murmures, des mots complices. Nous n'avions pas besoin de nous raconter, nos histoires ne nous intéressaient pas, seuls ces moments volés à nos vies respectives importaient.

J'ai sorti mon portable et composé son numéro. Elle a répondu tout de suite.

« Bonsoir. C'est moi. Tu es libre ? »

Avec elle, je n'avais pas besoin de m'annoncer. Une routine s'était installée entre nous qui nous dispensait de préliminaires ou de formules de politesse encombrantes.

« Je viens de rentrer. J'allais manger un riz au thé devant la télévision. Où êtes-vous ?

– Pas très loin. J'ai envie de boire un coup. Veux-tu me tenir compagnie ?

– Laissez-moi vingt minutes pour me préparer et je vous rejoins. »

Elle savait parfaitement où je l'invitais à me retrouver. J'ai replié mon portable et j'ai décidé de faire le trajet à pied jusqu'au Post Office. On était en novembre, mais il ne faisait pas encore trop froid et ce n'était pas loin.

L'air frais m'a fait du bien. Au bar, il n'y avait personne. Je me suis installé tout au fond, à notre place habituelle. Le barman m'a apporté une bouteille à mon nom, un Chivas de vingt-cinq ans d'âge. Certainement la dernière bouteille de whisky de prix que je pourrais m'offrir. J'ai commandé deux trapèzes de riz au saumon enrobés d'algues et deux autres à la prune salée. Je les ai savourés lentement en sirotant un premier verre. Le barman a branché la stéréo et a mis un CD de jazz.

Yuri est arrivée. Comme à son habitude lorsqu'elle sortait avec moi, elle portait des talons aiguilles et une jupe noire assez courte. J'ai tout de suite eu envie d'elle, de la rondeur lisse de son genou, de ses cuisses chaudes, de son sexe bienveillant, de son contact soyeux et souple sous mes doigts. J'ai réalisé que je n'avais encore jamais vu son corps nu. Était-ce un autre de mes échecs ?

« Tu n'as pas eu froid ? lui ai-je demandé tandis qu'elle s'asseyait en calant ses talons sur la barre du tabouret à côté du mien, faisant remonter sa jupe haut sur ses cuisses.

– J'ai pris un taxi. C'est vrai qu'il ne fait pas très chaud, ce soir », a-t-elle répondu en retirant sa veste.

Le barman lui a servi un whisky coupé de soda, sans glace.

Il respectait notre intimité. Il connaissait nos habitudes : nous venions ici au moins une fois par mois depuis près de deux ans. C'était notre refuge.

Nous avons bu en silence pendant un moment, savourant nos whiskies et le lourd vibrato du saxo soprano de Sidney Bechet qui emplissait la salle. Le genou de Yuri s'écrasait contre ma cuisse, à m'en faire mal.

Finalement, elle a rompu le silence.

« On dit à l'étage que vous avez été congédié ! »

Je l'ai regardée sans répondre. Que pouvais-je bien ajouter ?

« Vous ne le méritez pas. Moins que quiconque. Tout cela est absurde ! »

J'ai enfin pris la parole, amer.

« Peut-être. Mais le monde marche sur la tête… Buvons au moins à l'absurdité de notre couple ! »

Elle m'a jeté un regard triste. Pour me donner une contenance, j'ai allumé une cigarette. Elle avait répondu immédiatement à mon appel. Elle était la seule personne au monde dont j'étais proche et qui connaissait ma situation. Après tout, si ma relation avec elle ne me satisfaisait pas, j'aurais pu l'interrompre depuis longtemps. Elle a posé sa main sur mon bras.

« Moi, je ne trouve pas que nous formions un couple absurde ! C'est important pour moi d'être près de vous, ce soir. Je devine combien cette situation est insupportable pour vous, je voudrais vous aider, soulager votre angoisse…

– Pardonne-moi… Non seulement c'est moi qui t'ai demandé de venir, mais je me plains, je t'importune avec mes problèmes… Buvons ! »

J'ai fait un signe au barman, qui a de nouveau rempli nos verres. Nous avons porté un toast et nous avons continué de boire. J'ai posé un bras sur le dossier du tabouret de Yuri et, penché sur elle, j'ai commencé à lui raconter une histoire un peu salace que j'avais entendue dans les couloirs du magasin. L'atmosphère s'est aussitôt détendue. Pressant plus fort sa cuisse contre la mienne, Yuri gloussait, sa voix avait cette tessiture un peu troublante qui la rendait si sensuelle.

« Voulez-vous m'excuser ? »

Elle s'est levée pour aller aux toilettes.

À son retour, quelques instants plus tard, elle s'est de nouveau collée contre moi, puis, tout en jetant un coup d'œil furtif du côté du barman, elle m'a pris la main pour la guider vers son entrejambe. Elle avait retiré ses collants et sa culotte. Mes doigts ont rencontré les plis de son sexe humide. Elle a joui très vite, en silence, le souffle court. Puis elle a pris son verre et l'a vidé d'un trait, comme si de rien n'était.

À ce moment, la porte du bar s'est ouverte, un homme est entré, un étranger. Il était seul. J'ai aussitôt reconnu le président d'une grande marque de mode française. Je l'avais croisé deux ou trois fois, après qu'il eut accepté d'ouvrir une boutique à mon étage, quelques années plus tôt. Nous avions échangé nos cartes et quelques formules de politesse en japonais, langue qu'il maîtrisait parfaitement. Il m'avait dit qu'il venait d'emménager à Kamakura, quelque part derrière le Grand Bouddha. Son regard s'est posé un instant sur Yuri sans qu'il remarque ma présence. Il avait l'air préoccupé. Il s'est assis à l'autre bout du comptoir.

« Faites-moi jouir encore une fois ! » m'a murmuré Yuri, indifférente au nouveau venu.

J'ai hésité un instant puis, voyant que le Français se désintéressait de nous et que le barman vaquait à ses occupations à l'autre bout du comptoir, lentement, j'ai glissé ma main sur les cuisses soyeuses de Yuri.

15

Kaori

Petit à petit, la vie a repris son cours, mais pas comme avant. Je me suis rendu compte à quel point l'attention prodiguée à ma belle-mère m'avait accaparée, ces dernières années. Outre la préparation de ses repas, l'entretien de sa chambre, celui de son linge, je répondais au moins dix fois par jour à ses appels. Il fallait aussi que je lui masse les pieds, que je cale un oreiller sous ses reins, que j'ouvre les shojis pour laisser entrer la lumière ou que je les ferme parce que le soleil faisait pâlir la paille des tatamis, que je règle la vitesse du ventilateur en été et la flamme du poêle à huile en hiver… Sans compter sa toilette, qui me prenait une bonne heure le matin et autant le soir. Mais cela ne pouvait pas être pire qu'avec Jinwaki, lorsqu'il rentrait d'une soirée passée avec ses collègues de travail, ivre mort, malade : un soir, j'ai été obligée de nettoyer ses déjections car il n'avait pu se retenir jusqu'aux toilettes. À l'époque, cela ne m'a pas dérangée. Je suppose que j'étais encore amoureuse de lui. Maintenant, je lave son linge à part de celui des enfants et du mien tant il me répugne de le mélanger au nôtre.

La disparition de ma belle-mère a d'abord laissé un grand vide dans mon emploi du temps. Je passais le plus clair de mes journées assise dans ma cuisine les yeux dans le vague, ne prenant même pas la peine d'allumer la télévision, caressant machinalement la petite tête de Brad sur mes genoux. Un matin, Satomi m'a trouvée ainsi, tandis que la bouilloire sifflait depuis un bon moment déjà. « Je ne savais pas que tu aimais tant notre grand-mère... Sa disparition a l'air de t'avoir anéantie ! » s'est-elle exclamée. À compter de ce jour, j'ai décidé de ne plus me laisser aller. À focaliser mon énergie sur mes petites manigances pour me venger de ma belle-mère, j'en étais venue à ne plus du tout m'occuper de moi. J'ai passé ma vie à prendre soin de ma famille et, hormis quelques sorties avec des amies, je n'ai jamais eu un seul projet personnel qui me permette de combler les rares vides de mon emploi du temps.

Avec ses cours, les activités de son club et ses fins de semaine entre copains, Satomi est de moins en moins à la maison. Hideaki vit en ermite dans sa chambre, à ruminer je ne sais quelle rancœur contre un monde qu'il n'a pourtant jamais vraiment pris la peine de découvrir. Quant à Brad, il s'est pris d'une affection soudaine pour Jinwaki et ne manque pas d'aller le rejoindre sous sa couette quand il se met au lit, me laissant seule à regarder la télé jusqu'à pas d'heure.

Jinwaki, lui, est tellement pris par son travail que désormais il ne rentre plus du tout dîner à la maison et ne dispose même plus de son jour de repos hebdomadaire. Sa présence ne se manifeste que par l'odeur de cigarettes froides qui traîne dans le couloir le matin, et aussi par les chemises et sous-vêtements qu'il abandonne dans son panier à linge après le bain. De toute façon, nous ne nous regardons plus depuis longtemps, nous sommes comme invisibles l'un à l'autre. Pourtant, quelque chose en lui est en train de se dérégler. Je le sens. C'est imperceptible. Cela ne se lit pas sur son visage, plus hermétique que jamais, ni dans ses mouvements, qui semblent immuables. C'est comme une montre qui retarde chaque jour un peu plus. À bien y penser, une chose a tout de même changé : la lumière dans ses yeux. Par moments, son regard est terne, il ressemble à celui d'un poisson mort ; parfois, au contraire, une lueur pulse au fond de ses prunelles, inquiétante froide, déterminée. Je suis persuadée qu'il lui est arrivé quelque chose qui pourrait mettre en danger notre foyer. J'ignore de quoi il s'agit. Je ne suis même pas sûre d'avoir envie de le savoir. Je sais seulement que l'intuition féminine requiert un soupçon de myopie qui permet de ne voir que ce qui est important au regard de la société, cette apparence des choses qui aide à se tirer de bien des situations périlleuses. En attendant, pour combler mon oisiveté, j'ai cédé depuis peu à une boulimie d'achats.

L'autre jour, j'ai vu à la télé un appareil ménager révolutionnaire, un *robot cleaner* : il passe l'aspirateur à votre place, allant même se brancher tout seul sur son chargeur quand sa batterie est épuisée. Prise d'une impulsion, je me suis précipitée au centre commercial d'Oofuna pour en acheter un. J'ai choisi le modèle le plus cher, entièrement programmable. De retour à la maison, je l'ai sorti de son emballage, lisant le mode d'emploi de la première à la dernière page, puis je l'ai mis en route. Aussitôt il a commencé à nettoyer les moindres recoins de la cuisine, puis il est parti en exploration dans le couloir jusqu'à la chambre vide de ma belle-mère. Brad n'a pas du tout aimé cet engin, dont il a dû juger la concurrence déloyale : il est allé se réfugier sous la table de la cuisine. Hideaki a fait une brève apparition quand le robot a heurté le bas de la porte de sa chambre : il l'a regardé évoluer quelques minutes avant de réintégrer sa tanière sans faire de commentaires. Quant à moi, je l'ai contemplé en train de faire le ménage à ma place deux heures durant, me laissant envahir par une étrange satisfaction en même temps que par une douce torpeur.

En rentrant le soir, Jinwaki s'est pris les pieds dans le robot magique que j'avais laissé tourner dans sa chambre, espérant ainsi créer une occasion de bavarder un peu avec lui. Il a passé la tête par la porte coulissante de la salle d'eau où j'étais en train de me laver les cheveux, me surprenant entièrement nue.

« Qu'est-ce que c'est que ce machin qui se balade dans ma chambre en ronronnant bêtement ? Un clone de Brad ?

– C'est un robot nettoyeur. Tu vas adorer !

– Cela a dû te coûter les yeux de la tête ! J'aimerais que tu sois un peu plus raisonnable ! » a-t-il crié avant de refermer brutalement la porte de la salle de bains derrière lui.

C'était la première fois qu'il me parlait sur ce ton. Je suis restée hébétée, la mousse du shampoing dégoulinant sur mon visage. Décidément, quelque chose en lui est en train de se détraquer.

16

Saya

Mon stratagème a très bien fonctionné. Il m'a rappelée deux jours plus tard. Quand mon portable a sonné, je venais de rentrer de cours, j'étais dans ma chambre en train de potasser une leçon en écoutant un CD de jazz de Michel Petrucciani. Quand on l'a entendu une fois, on ne l'oublie jamais et on le reconnaîtrait entre mille, pour peu qu'on ait l'oreille et une culture musicales. Je pense que c'est plus facile que pour un sommelier de reconnaître un vin en aveugle.

J'ai jeté un coup d'œil sur l'écran du téléphone, qui affichait un numéro que je ne connaissais pas. J'ai failli ne pas décrocher mais une intuition m'a poussée à le faire. J'ai immédiatement reconnu sa voix.

« Êtes-vous bien mademoiselle Saya ? » a-t-il demandé d'un ton un peu guindé.

C'était bien la première fois que quelqu'un m'appelait ainsi. À l'école, les professeurs nous interpellent par notre nom de famille, sans obséquiosité, sans familiarité non plus. Entre copines, nous utilisons juste nos prénoms, sans fioritures. La famille, elle, ajoute un suffixe affectueux. Mais jamais encore on ne m'avait donné du « mademoiselle ». Il avait l'air essoufflé, mais je suppose qu'il était plutôt embarrassé. J'ai immédiatement compris que draguer une lolita, ce ne devait pas être son truc.

« Oui ? Qui est à l'appareil ? »

Je ne voulais surtout pas lui donner l'impression que je l'avais reconnu, ce qui aurait pu lui laisser penser que j'attendais impatiemment un appel de lui.

« L'homme du Sombrero ! a-t-il répondu, en français.

– Ah ! Je vois », ai-je dit le plus platement possible, mais mon cœur s'est mis à battre un peu plus vite.

Il y a eu un silence assez long à l'autre bout de la ligne, puis il s'est remis à parler :

« Qu'est-ce qui vous a pris, l'autre jour ?

– Que voulez-vous dire ?

– Vous distribuez vos petites culottes sales à tous les hommes que vous croisez dans un café ?

– Vous l'avez donc examinée pour savoir si je l'avais portée ! »

Cela l'a rendu furieux.

« Mais pour qui me prenez-vous ? Pour un pervers ? Que voulez-vous ? Qu'attendez-vous de moi ? Vous jouez avec le feu, à vous faire passer pour la petite grue que vous n'êtes probablement pas ! Un jour, vous allez tomber sur un vrai détraqué, vous savez ! »

S'il avait été en face de moi, il m'aurait sans doute giflée pour me punir de mon impudence, mais en même temps je me suis dit qu'il n'appelait pas seulement pour me faire la morale ou me tancer.

« J'ai voulu forcer un peu le destin, lui ai-je répondu posément, histoire de vous prouver que le hasard n'a pas toujours le dernier mot. Mais vous pensez certainement que ce sont des rêves de midinette romantique…

– Quelle drôle de fille vous faites ! Vouloir forcer le destin avec une culotte… c'est absurde !

– Pourquoi m'avoir appelée, alors ?

– Je veux juste vous rendre cet objet de méprise… Je ne suis ni fétichiste ni obsédé par les jupes plissées et les uniformes d'écolières, encore moins attiré par les filles de votre genre !

– C'est d'accord. Pouvons-nous fixer un rendez-vous ? »

À ma grande surprise, nous avons pu convenir d'une date très facilement. Quoi qu'il en dise, il avait certainement très envie de me revoir. Il ne paraissait pas soumis à la contrainte des heures fixes de bureau. Au contraire, il semblait disposer de son temps avec beaucoup de liberté.

Je lui ai donné l'adresse d'un salon de thé discret, Le Soupir, situé dans une venelle derrière la gare de la ligne Tokyu, à Shibuya. Les couples ont l'habitude de s'y retrouver avant d'aller fricoter dans les *love hotels* du quartier. Personne ne ferait attention à nous. Je ne voulais pas retourner au Sombrero avec lui. Et puis, j'avais l'intention de l'attirer dans l'hôtel de passe où je me rends de temps à autre avec mon petit copain. J'imaginais qu'il ne serait pas facile à convaincre, mais j'avais envie de tenter ma chance, et aussi de tester ma capacité à séduire un homme. Ce serait la première fois. Le vieux médecin légiste avait profité d'une situation embarrassante pour me faire tomber dans ses rets : je ne pouvais pas prétendre l'avoir appâté. Avec mon petit copain, cela s'était fait naturellement, sans que je le veuille vraiment. Mais avec cet homme, les choses pouvaient être très différentes de ce que j'avais connu jusque-là.

Au jour convenu, avant de me rendre au Soupir, je suis entrée dans la boutique Condomania au carrefour d'Omote Sando et de l'avenue Meiji pour acheter une boîte de préservatifs. J'ai choisi les plus quelconques, sans couleur ni forme fantaisiste. Je suis arrivée au salon de thé un peu en avance. Je ne voulais pas courir le risque qu'il m'attende : il aurait pu être gêné de se trouver dans un endroit où la clientèle vient de toute évidence pour tout autre chose que pour siroter une boisson. Je sentais que cet homme avait sa fierté. L'humilier eût été une grave erreur.

Il est entré quelques minutes après que je me fus assise. Il tenait un cartable en cuir couleur havane que j'ai trouvé très chic. Il était très élégant. Il portait un costume gris de coupe classique. Sa cravate unie était impeccablement nouée sur une chemise blanche. Il était plus grand que dans mon souvenir, plus grand aussi que la majorité des hommes de son âge. Il avait une allure sobre et distinguée qui m'a rappelé celle de mon père. Cette dernière image superposée à celle d'un homme avec lequel je m'apprêtais à coucher m'a dérangée. Je me suis empressée de la chasser de mon esprit quand il s'est assis à ma table.

Raide et malhabile, il m'a rendu mon salut sans oser me regarder. Il a tout de suite fouillé dans la poche intérieure de son costume pour en sortir un paquet de cigarettes et un briquet.

« Vous permettez que je fume ? »

J'ai trouvé très mignon qu'il me demande l'autorisation de fumer. Il a pris une cigarette et m'a tendu le paquet.

« En voulez-vous une ? Ce sont des cigarettes françaises.

– Non merci, ai-je répondu, pas maintenant. »

Il m'a jeté un coup d'œil interrogatif.

« Pas maintenant ?

– Après. Je suis un peu nerveuse, vous comprenez ? »

Il a tiré une longue bouffée.

« Vous me paraissez pourtant d'une nature bien insolente… »

Une attitude humble et repentante était sans doute le meilleur moyen de le ferrer.

« Je vous demande de pardonner mon impudeur. C'était stupide, je le reconnais. Ne croyez pas… », ai-je commencé en rejetant en arrière de la main une mèche rebelle.

Il a suivi du regard le mouvement de ma chevelure, comme fasciné par son opulence.

« Je vous le jure, ai-je poursuivi, je n'ai encore jamais fait cela de ma vie… J'ai honte de vous avoir causé tant d'embarras. »

Tout en parlant, j'ai pensé à quelque chose de très triste, la mort du petit chien que Papa et Maman m'avaient offert. Un camion de livraison l'avait écrasé quelques semaines plus tôt alors que je le promenais. Une larme a roulé sur ma joue. J'étais certes un peu confuse d'utiliser ainsi un vrai chagrin pour simuler une honte que je ne ressentais pas, mais j'étais déterminée à plier cet homme à mes desseins. Je sentais fourmiller en moi une sensation que je n'avais jamais ressentie, une envie de le toucher, de sentir sa main sur ma peau. Était-ce cela, le désir ?

Visiblement très embarrassé par mes pleurs, il a jeté un regard furtif autour de lui et a sorti de la poche de son pantalon un mouchoir qu'il m'a tendu.

« Allons, allons ! C'est bon, je vous pardonne. Il n'y a vraiment pas de quoi vous mettre dans cet état… Oublions tout cela, voulez-vous !

– Excusez-moi. Je ne pleure jamais. »

Ce qui est vrai, sauf à la mort de mon petit chien. J'ai horreur des pleurnicheuses.

Je me suis essuyé les yeux avec le mouchoir, un peu plus longtemps que nécessaire : il en émanait un léger parfum poivré. Il était encore tiède de la chaleur du corps de cet homme. Je le lui ai enfin rendu.

« Gardez-le, m'a-t-il dit. En cas de besoin.

– À votre tour de m'offrir un objet intime », ai-je répliqué en pliant soigneusement le mouchoir et en le rangeant dans la poche de ma veste.

Il s'est détendu.

« C'est tout de même moins personnel qu'une culotte ! a-t-il répondu en riant. Et puis, comme vous avez pu le constater, je ne l'ai pas utilisé.

– Mais il est imprégné de parfum. C'est inhabituel… »

Il s'est tortillé sur sa chaise.

« Encore une habitude que j'ai prise en France ! Dans mon métier, ce n'est pas trop mal vu, alors je continue à me parfumer le matin, avec une touche d'après-rasage sur mon mouchoir… Ce n'est pas très masculin, n'est-ce pas ? »

J'ai secoué la tête une nouvelle fois. Il a de nouveau suivi le mouvement de mes cheveux.

« Non. Mais c'est plutôt mignon, qu'un homme de votre âge soit si coquet ! »

Il a un peu rougi. Pour faire diversion, il a fait un signe à une serveuse qui est venue prendre notre commande. Il s'est ensuite baissé vers son cartable posé par terre et s'est mis à fouiller dedans, le visage à hauteur de mes genoux, que j'ai gardés chastement serrés sur ma jupe plissée. Il en a sorti le sac en papier que je lui avais donné au Sombrero et me l'a fait passer sous la table.

« Tenez ! Récupérez votre bien et n'en parlons plus. »

Quand je l'ai pris, nos mains se sont effleurées. Cela m'a électrisée. En retour, je lui ai tendu un petit cadeau. Il m'a regardée avec suspicion.

« Vous n'allez pas recommencer !

– Il s'agit seulement des morceaux que j'écoutais au Sombrero lorsque nous nous sommes rencontrés… Je les ai transférés pour vous de mon MP3 sur un CD. »

Il a de nouveau rougi et m'a remerciée.

La serveuse nous a apporté les cafés, que nous avons bus en silence. La situation s'éternisait, j'avais peur de perdre la main.

« Si nous partions, maintenant ? » lui ai-je dit.

Il a acquiescé. Il a fait signe à la serveuse, qui est venue encaisser, puis nous nous sommes levés et sommes sortis dans la rue.

Nous avons marché un moment côte à côte. J'étais à sa droite. Au début, il prenait soin de laisser un peu de distance entre nous. Mais, du fait de l'étroitesse de la rue et du flot de passants qui nous bousculait, nous avons fini par nous rapprocher, jusqu'à ce que nos épaules se touchent. Il y a eu un coup de vent, j'ai frissonné.

« J'ai froid… j'ai besoin que vous me réchauffiez ! » lui ai-je glissé à l'oreille en lui prenant le bras.

Il s'est raidi, mais il m'a laissée faire.

Je l'ai entraîné vers l'entrée du *love hotel* devant lequel nous venions d'arriver. Une fois dans le hall, je me suis précipitée vers l'écran tactile pour prendre une clef de chambre que j'ai payée avec un billet de 5 000 yens. Je craignais qu'il n'en profite pour filer, mais quand je me suis retournée vers lui, la carte magnétique de la chambre dans la main, j'ai vu sa silhouette qui se détachait sur le contre-jour un peu glauque des néons de la rue. Les bras le long du corps, raide et immobile, il ressemblait à un automate qui n'attend qu'un ordre pour se mettre en mouvement.

17

Jinwaki

Pétrifié par son audace, je regardais Saya s'activer devant un écran dont je n'ai d'abord pas bien compris la fonction. Les panneaux lumineux de la rue derrière moi projetaient mon ombre jusqu'à ses pieds et se reflétaient dans sa magnifique chevelure. Je suis fasciné par les longs cheveux des femmes. Relevés en chignon, coiffés en queue-de-cheval, ou bien en cascade comme ceux de Saya ce soir-là, ils m'ont toujours fait fantasmer. Quand Kaori a coupé les siens sous prétexte qu'elle n'avait plus le temps de s'en occuper, j'en ai fait une maladie. Mon indifférence à son égard remonte à ce jour-là.

Au bout d'un moment qui m'a paru durer une éternité, Saya s'est retournée vers moi. Elle s'est approchée et m'a tendu la main.

« Venez ! » a-t-elle simplement dit.

Et elle m'a entraîné vers l'ascenseur. Elle a glissé une carte magnétique dans la fente qui remplaçait le bouton d'appel. Il y faisait sombre. Les parois étaient tapissées de velours noir, le plancher et le plafond en métal dépoli se renvoyaient à l'infini l'entrejambe de Saya et mon début de calvitie. L'ascenseur s'est mis en mouvement comme par magie. Saya gardait la tête baissée. J'avais envie de dire quelque chose, mais une boule dans la gorge m'en empêchait. Je maudissais mon indignité, mon imprudence à m'être fourré dans une nasse aussi dangereuse, mais dans le même temps j'étais submergé par le besoin d'échapper au désespoir dans lequel je me débattais jusque-là. Après le naufrage, Saya m'apparaissait comme une île miraculeuse.

L'ascenseur s'est arrêté. La porte s'est ouverte sur un couloir aux murs recouverts de tissu noir et au plafond bleu nuit troué de petites lumières. Le bruit de nos pas était étouffé par une épaisse moquette. Ce puits noir ne pouvait mener qu'au désastre. J'ai fait demi-tour jusqu'à l'ascenseur, mais il s'était déjà refermé et il n'y avait pas de bouton d'appel.

Sans se soucier de moi, Saya s'est dirigée vers la porte d'une chambre. J'ai dû me résoudre à la suivre, et nous sommes entrés dans une pièce à la lumière tamisée. D'autorité, Saya a pris mon cartable et l'a posé dans un coin, puis elle a retiré ses ballerines et s'est accroupie devant moi pour défaire les lacets de mes chaussures. Elle m'a aidé à les retirer et les a alignées près de la porte. Puis elle m'a pris par la main et m'a attiré vers le lit. Avant que je puisse réagir, elle a plaqué son corps contre le mien, les cuisses collées à mes jambes. Les bras ballants, je n'osais pas la toucher. Mes mains étaient lourdes du poids de ma culpabilité.

Elle m'a enlacé, enfouissant sa tête dans le creux de mon cou. Nous sommes restés immobiles un long moment. Je sentais la chaleur de son corps à travers ses vêtements. Elle était parcourue de tremblements imperceptibles. Mon souffle faisait voleter les mèches de ses cheveux, d'où montait un parfum de camphre et d'encens, celui d'une Japonaise d'autrefois. Malgré la sensualité vibrante de ce corps aux formes si douces, je demeurais froid. Elle s'est serrée plus fort contre moi, sa langue s'est mise à titiller le lobe de mon oreille. J'aurais dû m'arracher à l'emprise de Saya, lui donner une claque, m'enfuir, mais une sorte de paralysie suicidaire m'en empêchait. Comme si ma volonté était anesthésiée par quelque venin qu'elle m'aurait injecté à mon insu. J'étais la proie fascinée d'un animal malfaisant et séduisant. Ce n'était plus une lycéenne perverse qui s'évertuait à me charmer mais une femme diabolique qui utilisait tous ses atouts pour m'enflammer. J'ai senti mon sexe se tendre, et cela m'a révulsé. Saya s'en est immédiatement aperçue. Elle s'est agenouillée devant moi, a accroché ses mains à mes hanches et a posé ses lèvres sur mon nombril.

Soudain dégrisé, j'ai essayé de la repousser, en vain. J'ai eu un instant la tentation de la tirer par les cheveux, de lui donner un coup de genou en plein visage pour la faire lâcher prise. Dans le même temps, les digues de ma raison ont cédé et, au lieu de la violenter, j'ai mis mes mains sur sa tête et j'ai fermé les yeux.

Personne ne m'avait touché ainsi depuis bien longtemps.

Bientôt, elle a dégrafé sa jupe, dévoilant des jambes étonnamment fines. Elle a fait passer son chemisier par-dessus sa tête sans même le déboutonner. La bretelle de son soutien-gorge a glissé sur son épaule. Cela m'a ému. J'aurais pu tout arrêter à ce moment précis, mais je me suis avancé vers elle après m'être à mon tour dépouillé de mes vêtements. Dès l'instant où j'ai posé ma main sur sa hanche pour l'attirer à moi, j'ai su que j'étais perdu.

Tandis que je faisais descendre sa culotte le long de ses jambes, elle a retiré son soutien-gorge, dévoilant de jolis seins pleins comme je n'en avais jamais vu. Elle a sorti de son sac une boîte de capotes. J'ai eu un mouvement de recul.

« Je n'ai jamais utilisé de préservatif... »

Elle a levé les paumes vers moi en un geste d'apaisement. Elle a tiré de la boîte un petit sachet qu'elle a déchiré. Elle a déroulé le latex lubrifié sur mon sexe avec dextérité. Je l'ai regardée faire, fasciné par la finesse de ses doigts. Elle s'est allongée sur le lit et m'a fait signe de la rejoindre...

Plus tard, j'ai allumé une cigarette, le regard perdu dans le plafond noir d'encre. À mes côtés, Saya somnolait, immobile. Je venais de faire l'amour à une lycéenne. C'était barbare, indécent. Plus encore que mon licenciement, cet acte me mettait au ban de la société. Pourtant, c'était un corps de femme que j'avais possédé. Certes, Saya était restée de marbre pendant notre étreinte, mais à combien de femmes dans ma vie pouvais-je prétendre avoir donné du plaisir ?

Au bout d'un moment, je me suis tourné vers elle. Elle s'était réveillée. Elle s'est aperçue que je la regardais et elle m'a souri.

« Merci... C'était très bien ! »

Je lui ai posé la question stupide qui me taraudait l'esprit.

« Tu n'as pas joui, n'est-ce pas ?

– Cela ne m'est encore jamais arrivé, a-t-elle répondu d'un ton neutre, mais ce n'est pas grave… »

J'ai cru qu'elle allait dire que de toute façon elle n'était pas là pour ça. Mais elle a laissé sa phrase en suspens, comme une expression muette de regret.

« Nous recommencerons, n'est-ce pas ? Vous m'apprendrez ?

– Bien sûr », ai-je répondu, me demandant si la récidive n'était pas plus grave que l'égarement d'une seule fois.

Elle s'est levée. Elle a ramassé mes vêtements, qu'elle a soigneusement pliés avant de les poser sur le lit. Puis elle a pris les siens et s'est rendue dans la salle de bains. En attendant, je me suis rhabillé et me suis assis sur le lit pour fumer une autre cigarette, essayant d'y voir un peu plus clair dans ma tête.

Je pouvais tourner cette histoire dans tous les sens, l'expliquer par mon désarroi, le hasard qui avait mis sur mon chemin une jeune fille ayant avec moi de nombreux points communs, l'attirance pour sa beauté hors du commun, l'appel de mon corps frustré par de longues années d'abstinence ou d'une sexualité superficielle, ce que je venais de faire avec cette fille avait un nom : « rapport subventionné ». Elle avait simplement sauté sur l'occasion quand je m'étais adressé à elle au Sombrero, soit qu'elle ait pensé que j'étais un adepte de la chose, soit qu'elle ait flairé la proie facile que j'étais.

En un sens, cette constatation m'a rassuré. Un rapport subventionné fonctionnant selon des règles bien établies, il suffisait que je me plie à celles-ci pour me donner bonne conscience. La principale étant la rémunération de la prestation, il convenait donc que je paie Saya. J'ai pris mon portefeuille et en ai sorti un billet de 10 000 yens, puis, me rappelant qu'elle avait déjà payé la chambre, j'en ai ajouté un second. J'allais ranger mon portefeuille quand je me suis ravisé. Je n'avais aucune idée des tarifs en vigueur, mais j'ai estimé que 20 000 yens n'étaient sûrement pas suffisants. J'ai pris deux autres billets que j'ai pliés soigneusement en quatre avec les deux premiers, et je me suis dit qu'il fallait avoir les moyens pour entretenir une relation de ce genre. Si je voulais continuer avec Saya, il faudrait que je sois très vigilant : ma situation financière n'allait pas manquer de se dégrader très rapidement.

N'ayant pas d'enveloppe sous la main, j'ai plié les billets dans un kleenex que j'ai glissé dans ma poche. Saya est enfin ressortie de la salle de bains, les cheveux tirés en une queue-de-cheval qui dégageait son front et soulignait son profil aristocratique au nez légèrement busqué. Elle était redevenue la lycéenne d'une prestigieuse école de la ville, bien différente de la femme odorante, humide et brûlante que je venais de posséder. Elle s'est assise à mes côtés et a posé sa tête sur mon épaule. J'ai senti la pulsation de sa tempe contre ma joue. Soudain, elle s'est écartée.

« Il y a deux ans, j'ai été trépanée ! » Elle a pris ma main, qu'elle a guidée sur le côté droit de sa tête. « Là ! Vous sentez ? »

Sous sa chevelure, mes doigts ont effectivement deviné un petit creux. J'avais l'impression d'effleurer son cerveau, d'être en contact avec la fragilité absolue de tout son être.

« Je ne sais pas pourquoi je vous dis cela. Sans doute parce que je me sens en confiance avec vous… »

Mes doigts ont continué à palper la cicatrice sous ses cheveux.

« Tu es hors de danger ?

– Pour le moment. Le chirurgien a retiré des vaisseaux qui menaçaient d'éclater. C'est une maladie rare, étrange, imprévisible. Il est possible que cela ne se reproduise jamais, mais il se peut aussi que d'autres vaisseaux se fragilisent, à un endroit différent. C'est comme une mauvaise herbe dont il faut se méfier. Je fais un scanner de contrôle tous les trois mois. »

Je suis resté silencieux, envahi d'une tendresse nouvelle pour cette jeune fille qui me confiait le secret de sa maladie. Elle a regardé ma montre.

« Il faut que je parte. S'il vous plaît, appelez-moi. Vite ! »

J'ai sorti l'enveloppe de fortune contenant les billets et la lui ai tendue. Elle a eu un haut-le-corps.

« Je n'en veux pas ! s'est-elle exclamée, une lueur de colère dans le regard.

– Que voulez-vous, alors ?

– Je veux que vous m'emmeniez au concert ! »

Sur ces mots, elle s'est levée et, sans me regarder, elle a quitté la chambre.

18

Kaori

L'autre jour, mes copines m'ont invitée à les rejoindre à Tokyo pour aller essayer ce restaurant japonais qui a reçu la distinction suprême dans un grand guide gastronomique français. Je ne vois pas bien comment un guide étranger peut prétendre juger la cuisine japonaise et ses subtilités alors qu'aucun gastronome local ne s'y est jamais risqué, mais passons. En France, je me fiais les yeux fermés à ce guide, mais ici c'est une autre histoire. En tout cas, cette sortie romprait la monotonie de mon quotidien depuis la mort de ma belle-mère : j'allais passer un bon moment dans cet endroit à la mode où réserver une table est devenu une véritable prouesse. Cela me coûterait les yeux de la tête, mais Jinwaki me le devait bien.

Le chef est devenu célèbre à la télé. J'ai l'impression qu'il passe plus de temps devant les caméras que derrière ses fourneaux. C'est un « chef charismatique ». Il y avait déjà des « coiffeurs charismatiques », des « chirurgiens esthétiques charismatiques », et même des « vendeuses de fringues charismatiques ». Le Japon est bien le seul pays au monde où un professionnel qui accomplit normalement sa tâche devient charismatique. À quand le « laveur de voitures charismatique » ou la « femme d'intérieur charismatique » ? Bref, cela promettait d'être une soirée mémorable.

J'ai donc décidé de me mettre sur mon trente et un, passant tout l'après-midi à me préparer. J'ai sorti du placard un superbe tailleur que Jinwaki m'a acheté rue du Faubourg-Saint-Honoré quand nous vivions à Paris. Il a plus de quinze ans mais il en jette encore. Je l'ai essayé devant la glace en pied de la pièce à tatamis de ma belle-mère. La jupe est un peu courte, pas tout à fait mini mais pas loin, très au-dessus du genou. Après avoir étalé deux épaisseurs de papier journal sur le tatami, j'ai enfilé les chaussures les plus hautes que j'ai trouvées dans le placard, de jolis escarpins aux talons effilés qui font presque dix centimètres. Je ne les avais pas mis depuis une dizaine d'années et j'ai eu du mal à garder mon équilibre, mais j'ai aimé la cambrure de mon mollet et le galbe de mes jambes, qui ne sont pas si mal que cela pour une femme de mon âge.

Une fois lavée, je me suis séché les cheveux et je me suis maquillée d'une touche de fard couleur pêche qui rehaussait la couleur noisette de mes yeux, puis j'ai passé sur mes lèvres un gloss brillant qui les rend bien pulpeuses. Pour compléter ma toilette, j'ai pulvérisé un peu de parfum sur un mouchoir que j'ai rangé dans mon joli sac matelassé à chaîne dorée. Lui non plus je ne l'avais pas utilisé depuis un bon moment. Il sentait le cuir neuf, ce qui m'a rendue d'humeur joyeuse. Enfin, j'ai voulu mettre le joli pendentif, un cœur serti de diamants, que Jinwaki m'a offert lorsque nous étions étudiants. Je l'ai cherché dans la table de nuit où je le range d'habitude mais je ne l'ai pas trouvé. J'ai pensé que peut-être Satomi me l'avait emprunté, mais il n'est pas dans ses habitudes de faire ce genre de chose sans me le demander. J'ai conçu de l'agacement et une vague pointe d'inquiétude à ne pas le retrouver.

Avant de sortir, j'ai enfermé Brad dans la chambre à coucher de Jinwaki. J'ai aussi laissé un mot sur la table de la cuisine pour prévenir mon mari que je rentrerais tard. Pour finir, j'ai mis en marche mon *robot cleaner*, qui a commencé à vadrouiller dans la maison.

Dans l'entrée, après avoir enfilé mes escarpins à talons aiguilles, je me suis regardée une dernière fois dans la glace de la penderie : je me suis trouvée très séduisante. J'ai quitté la maison et me suis dirigée vers la gare de Kita Kamakura, me tordant un peu les chevilles dans la rue, pour aller prendre le train de Tokyo.

Une heure plus tard, j'ai retrouvé mes cinq copines dans un café proche du restaurant où nous nous étions donné rendez-vous. Elles s'étaient toutes mises sur leur trente et un. Mariko Suga était la plus sage, avec son tailleur dont la jupe descendait trop bas sur ses jambes. Elle portait un chemisier boutonné jusqu'au col et avait tiré ses cheveux en un chignon plat qui lui donnait l'air d'une caissière de supermarché. Pour couronner le tout, son maquillage était si terne qu'il effaçait son joli teint. Rie Hasegawa, elle, n'avait pas raté son coup : elle était vêtue d'une robe en soie dont le décolleté dévoilait la naissance de ses seins. C'est la seule de notre groupe d'amies qui ait de la poitrine. C'était un peu osé pour une femme de son âge, mais cela lui allait bien. Rie appartient sans aucun doute à cette catégorie de femmes qui, l'âge venant, exposent de plus en plus leur corps. Elle était admirablement bien coiffée et maquillée. Sa gaieté et son sourire la rendaient vraiment séduisante. Quant à Fumie Watanabe, elle a surpris tout le monde en arrivant en kimono, un iro tome sode * orné sur le pan inférieur de broderies magnifiques, avec les armoiries de sa famille appliquées en trois endroits. Quant à l'obi, c'était un opulent brocart tissé de fils de différentes teintes, du jaune pâle au cuivre doré, avec des effets tour à tour mats et brillants qui donnaient à l'étoffe un relief étonnant. Cette parure doit coûter au moins dans les 5 à 6 millions de yens. Fumie s'était fait faire un chignon compliqué que des peignes d'écaille de tortue maintenaient en place. Tout cela était merveilleux, mais totalement hors de propos.

« Vous avez l'intention de vous rendre au palais impérial après le dîner ? s'est exclamée Rie en la voyant entrer dans le café.

– Une fois au restaurant, vous verrez que cela n'est pas du tout déplacé », a répondu Fumie avec flegme.

Deux autres femmes sont arrivées, des amies de Rie que je ne

* Kimono formel de très riche facture.

connaissais pas. Nous avons échangé les formules de politesse et nous nous sommes présentées. La conversation est devenue très animée. Rien de ce dont nous parlions n'était essentiel à la bonne marche du monde, mais c'était sans doute précisément ce que nous recherchions : un peu de légèreté pour compenser la pesanteur de nos vies trop bien calibrées. Puis Rie Hasegawa, qui avait réservé les places au restaurant, a donné le signal du départ.

Dans la rue, nous étions tout excitées d'avoir l'insigne privilège de dîner à cette table devenue prestigieuse du jour au lendemain. L'entrée était banale, une simple porte coulissante à claire-voie surmontée d'une enseigne indigo. Nous avons été accueillies par un tonitruant « Bienvenue ! » qui seyait mieux à une échoppe de nouilles qu'à un établissement trois étoiles.

Rie avait obtenu que nous puissions nous asseoir au comptoir en forme de L, ce qui nous permettrait de voir le chef à l'œuvre tout en bavardant.

« Bière pour commencer, saké pour continuer, champagne pour finir ! Cela vous va ? » a lancé Fumie, dont le ton haut perché était monté d'un cran.

À croire qu'elle avait déjà bu avant de nous rejoindre. Elle a la réputation d'être une *kitchen drinker*, ce qui ne m'étonnerait pas avec le mari qu'elle avait… Il paraît qu'il la battait. Elle se vengeait en dépensant sans compter, ce qui devait le mettre encore plus en rage. Cela a mal fini puisqu'il vient de la quitter…

Nous avons lu le menu. Il était calligraphié en japonais et traduit en français. Je me suis demandé quel intérêt cela pouvait bien présenter de proposer un menu rédigé en français à une clientèle strictement japonaise.

« Vous voulez mon avis ? C'est du pur snobisme ! a ricané Fumie.

– Oui, c'est pédant et prétentieux ! a renchéri une des amies de Rie.

– En tout cas, c'est très bien traduit et sans fautes d'orthographe ! » ai-je gloussé, un peu gênée à l'idée que le chef puisse nous entendre.

La bière est arrivée et nous nous sommes servies dans une ambiance bon enfant, chacune arrachant la bouteille des mains de sa voisine pour la servir la première avec force saluts de la tête. Nous avons levé nos verres et clamé un « *Kampai !* » tonitruant qui a fait sursauter un couple assis à l'autre bout du comptoir.

Les premiers plats sont arrivés. D'abord, un mille-feuille de congre, foie gras et émincé de gros radis blanc dressé dans une assiette Imari *. Nous l'avons dégusté en nous extasiant. Ensuite, on nous a servi un thon d'Ooma en sashimi sur un lit d'algues cuites à la vapeur d'ormeau. Personne ne savait très bien si « Ooma » était le nom d'une région ou une espèce particulière de thon, mais nous savions toutes que c'est une denrée très rare. Nous l'avons savouré dans un silence religieux.

Les bouteilles de bière vidées, nous sommes passées au saké. Certaines souhaitaient le boire froid, d'autres chaud. Fumie a opté pour du shochu, un alcool de riz à la patate douce de la région de Satsuma de dix ans d'âge vieilli en fûts de chêne, prétendant que cela lui ferait moins mal au crâne que le mélange bière-saké.

Les plats se succédaient : des fedelini à la poutargue japonaise, un hamburger de galette de sarrasin, crème fraîche fouettée, caviar et oursin, et aussi un crabe Matsuba. Je n'avais plus très faim : ce mélange de fruits de mer m'écœurait un peu, mais je n'ai pas voulu perdre la face devant mes amies. J'ai englouti chaque spécialité en la faisant passer avec une rasade d'un saké Kokuryu de la région de Fukui. Finalement, prise de nausées, j'ai dû m'éclipser discrètement aux toilettes.

Quand je suis revenue, le plat principal venait d'être servi, un caneton à la sauce aux truffes saupoudré de germes de cacahouètes. Mariko Soga a décrété qu'elle était allergique à la cacahouète. Le

* Délicate porcelaine de grande valeur.

chef a aussitôt retiré le plat pour lui servir un bar aux poireaux de Shimonita. Fumie a réclamé le sommelier.

« Pour un tel mets, il faut un vin qui a du corps ! s'est-elle écriée. Pouvez-vous nous servir une romanée-conti ? » lui a-t-elle demandé.

Celui-ci s'est penché à son oreille et a murmuré quelque chose que nous n'avons pas entendu. Fumie a eu un haut-le-corps.

« Je sais bien que c'est le vin le plus cher au monde ! s'est-elle exclamée. Je ne suis pas ignare, tout de même ! Chères amies, ne vous inquiétez pas, c'est moi qui régale. Mon mari m'a stupidement laissé l'accès à son compte. Il peut bien nous payer cela ! »

Le sommelier a apporté une bouteille dont la forme et l'étiquette m'ont paru bien banales pour un vin aussi onéreux. J'étais déçue. En définitive, les Français sont un peu comme nous : ce n'est pas l'ostentation qui fait le prix.

Le sommelier a ouvert la bouteille puis il a transvasé le vin d'un beau rouge sombre dans une carafe en le faisant couler au-dessus de la flamme d'une bougie. Il a aligné sur le comptoir six grands verres ballon à la paroi si fine qu'on pouvait craindre de la briser rien qu'en la portant aux lèvres, puis il y a versé le nectar. Fumie a goûté la première après avoir planté longuement son nez dans le verre et inspiré bruyamment. Parfois, sa vulgarité me laisse pantoise.

« Voilà qui a du corps. Mesdames, buvons ! » a-t-elle dit.

Je n'ai rien trouvé de très particulier à ce vin qui m'a paru plutôt âpre et trop alcoolisé, mais je n'y connais pas grand-chose. Après un rapide calcul, Fumie nous a annoncé que chacune de nous avait dans son verre approximativement 150 000 yens. J'en ai eu le tournis.

Au dessert, on nous a servi un champagne rosé, celui que je préfère, mais je ne l'ai guère apprécié : j'avais déjà trop bu et trop mangé. Après avoir payé l'addition, nous avons récupéré nos étoles, nos manteaux et nos écharpes et nous nous sommes bientôt retrouvées dans la rue, continuant de jacasser un bon moment dans le froid. Fumie a décrété qu'il était encore tôt : pourquoi n'irions-nous pas boire un dernier verre dans un club d'hôtes, dans le quartier de Roppongi, à quelques blocs de là ?

« Qu'est-ce que c'est, un club d'hôtes ? a demandé Mariko Suga, toujours aussi naïve.

– Un endroit où les hôtesses sont des hommes », a répondu Rie en haussant les épaules.

Les deux amies de Rie ont levé la main en poussant des petits cris.

« Moi, il faut que je rentre ! » a dit Mariko Suga.

Elle a hélé un taxi et s'y est engouffrée en nous faisant un signe d'au revoir.

J'ai un peu hésité : je ne voulais pas paraître bégueule et donner prise à la critique. J'ai donc suivi le mouvement. Et puis, j'étais curieuse de voir à quoi pouvait bien ressembler un club d'hôtes.

19

Saya

Il a tenu sa promesse. Quelques jours après notre premier rendez-vous, il m'a appelée sur mon portable pour me demander quel soir me convenait pour aller au concert. L'Orchestre de chambre de Munich était en tournée avec un programme de grande qualité. Il se produisait au Suntory Hall de Tokyo. Cela tombait bien, je rêvais d'aller écouter cette formation baroque dont je possédais quelques enregistrements.

« Après le concert, si vous le désirez, nous pourrions aller dîner à la brasserie Aux Bacchanales. L'ambiance y est très parisienne ! » a-t-il suggéré sur un ton timide, presque suppliant.

Bien qu'en ayant très envie, je ne pouvais pas aller au restaurant : cela m'aurait ramenée trop tard à la maison et aurait déclenché un feu nourri de questions de la part de ma mère. En revanche, j'ai tout de suite accepté l'invitation pour le concert.

Pour être aussi accommodant et disposer d'autant de liberté, il doit être un homme d'affaires indépendant qui possède sa propre entreprise. Au contraire, ma vie de lycéenne demande une certaine régularité si je ne veux pas provoquer une suspicion qui engendrerait des mesures de rétorsion m'empêchant de jouir de ma liberté. Mener plusieurs aventures de front me semblait trop risqué et j'avais décidé d'espacer mes rendez-vous avec le médecin légiste : je ne le verrais plus que lorsque j'aurais un besoin pressant d'argent. Surtout, je désirais avoir plus de temps à consacrer à mon nouveau client – puisque c'est bien ce qu'il était, mon client, même s'il me payait en nature.

Avant de raccrocher, je lui ai demandé comment il souhaitait que je m'adresse à lui. Il y a eu un silence au bout de la ligne.

« Vous connaissez mon prénom, lui ai-je dit. Il me semble normal que je sache votre nom si nous devons nous revoir.

– Jinwaki, a-t-il grommelé. Je m'appelle Jinwaki.

– D'accord, Jinwaki San. Avec votre permission, c'est ainsi que je vous appellerai, désormais. Je vous souhaite une bonne soirée, Jinwaki San », ai-je ajouté avant de couper, en appuyant bien sur son nom et sur le suffixe de politesse.

Durant toute cette conversation, il s'était montré très déférent. J'ai pensé furtivement : « Celui-là aussi, je le tiens ! » Mais de m'être dit cela j'ai eu la nausée et j'ai chassé cette petite voix grinçante avec colère.

Le soir du concert, je suis arrivée un peu en retard à cause d'un accident sur la ligne de métro. Un type s'était encore jeté sur la voie ferrée. Par chance, le train était déjà entré en gare, les portes étaient restées ouvertes. Si quelques personnes sont sorties du wagon dans lequel je me trouvais, la plupart n'ont pas réagi à l'annonce. Ni ennui ni agacement, encore moins de compassion. Imperturbables, les gens ont continué à lire, à somnoler, à bavarder à voix basse ou à consulter les messages sur leur portable. Le temps semblait suspendu. À une ou deux stations de là, quelqu'un s'était fait déchiqueter par une rame, mais tout le monde demeurait impassible.

Au bout d'un moment, inquiète d'arriver en retard à mon rendez-vous, je suis descendue du wagon, je suis sortie de la gare et j'ai sauté dans un taxi qui m'a déposée devant l'hôtel Ana. De là, j'ai traversé en courant le hall et le couloir qui conduit à la vaste esplanade du complexe immobilier de Ark Hills. J'ai repris mon souffle en arrivant sur la place où quelques personnes attendaient devant l'entrée du Suntory Hall, ombres posées sur l'échiquier des dalles en béton. Jinwaki San se tenait en retrait derrière l'imposante sculpture en bronze qui ressemble à une monstrueuse roue de camion, comme s'il voulait qu'on le remarque le moins possible.

Il consultait sa montre en tirant nerveusement sur une cigarette. Sa serviette en cuir était posée à ses pieds. Je suis arrivée derrière lui. J'étais hors d'haleine mais je ne voulais pas lui montrer que j'avais couru. Plutôt que de lui adresser la parole, j'ai effleuré son bras pour lui signaler ma présence. Il a sursauté et s'est retourné vers moi. Quand il m'a reconnue, il a paru tellement soulagé et heureux que j'ai éprouvé une sorte de pitié : il paraissait déjà très dépendant de moi. Fallait-il que cet homme soit seul et triste pour s'attacher à une fille avec laquelle il n'avait couché qu'une fois !

Je lui ai expliqué la raison de mon retard et me suis excusée tandis que nous nous dirigions vers les portes du Suntory Hall, où les ouvreuses contrôlaient les entrées. Il a sorti les billets et m'a tendu le mien en me disant d'entrer la première : il me rejoindrait une fois qu'il aurait écrasé sa cigarette. Visiblement, il ne tenait pas trop à s'afficher avec moi dans la salle des pas perdus, où une foule dense se pressait devant les vestiaires.

Je suis allée directement m'asseoir à ma place et j'ai attendu qu'il me rejoigne. J'étais venue là une fois avec ma mère assister à un concert un an plus tôt : je me rappelais les boiseries aux tendres couleurs blondes, les grandes orgues qui dominaient les gradins situés derrière la scène et les fauteuils de velours râpé pas très confortables. Jinwaki avait bien fait les choses, choisissant d'excellentes places face à la scène, au seizième rang.

La sonnerie annonçant le début du concert a retenti une première fois et le silence s'est progressivement installé. Jinwaki est arrivé à la fin du second appel, au moment précis où l'éclairage se mettait à baisser, juste avant que l'orchestre fasse son entrée. Il s'est assis à ma droite sans me regarder. Je l'ai remercié d'avoir réservé de si bonnes places.

« Je vous en prie ! » a-t-il chuchoté, les yeux rivés sur la scène.

Il gardait ses mains sagement posées sur ses cuisses. Mon imperméable était soigneusement plié sur mon giron. J'ai profité de l'arrivée du chef d'orchestre et des applaudissements pour étaler le vêtement sur l'accoudoir qui séparait nos sièges, glissant ma main dessous pour la poser sur la sienne. Il ne s'est pas dérobé. Aux premières mesures de *La Petite Musique de nuit*, de Mozart, un frémissement m'a parcourue. Ce n'est qu'à la fin du concerto que nous avons brisé ce contact intime pour applaudir.

À l'entracte, Jinwaki San m'a offert d'aller prendre un café au bar du foyer. Il a sorti une cigarette et s'est mis à commenter la performance de l'orchestre avec un luxe de détails qui m'a laissée béate d'admiration. C'est vraiment un connaisseur raffiné et passionné. Il paraissait soudain plus détendu. Au bout d'un moment, il a écrasé sa cigarette et m'a demandé de l'attendre. Il s'est dirigé de l'autre côté du foyer, vers les vestiaires.

À cet instant, quelqu'un m'a interpellée. Je me suis retournée : debout près d'une table, il y avait une fille qui portait le même uniforme que moi. Je l'ai reconnue tout de suite : elle était dans une autre classe que la mienne, je la croisais parfois dans les couloirs. Elle était en compagnie d'une femme très élégante vêtue d'un kimono, le chignon haut.

« Salut ! Quelle coïncidence ! Tu es venue avec ton père ? »

J'ai eu un temps d'hésitation. Je me maudissais de n'avoir pas été plus prévoyante. En uniforme, je passais aussi inaperçue que la tour de Tokyo peinte en rouge et blanc dans le ciel de la capitale. Si j'avais gardé mon imperméable, la fille ne m'aurait peut-être pas remarquée.

« Non, ai-je fini par lâcher, c'est mon oncle maternel… Il est de passage à Tokyo. C'est moi qui suis de corvée pour le sortir ce soir ! Il est un peu plouc mais il est gentil !

– Quelle barbe ! Moi, je suis avec ma mère. Elle se croit obligée de s'habiller en kimono pour aller au concert ! Tu vois comme c'est pratique ! Elle passe la moitié de sa journée à se faire coiffer et pomponner chez une habilleuse ! Pour elle, la soirée commence en fin de matinée ! Si tu veux mon avis, c'est juste un prétexte pour sortir de la maison, où elle s'ennuie à mourir ! »

Tandis qu'elle débitait des banalités, j'ai fini par repérer Jinwaki

San dans la foule, à quelques mètres de nous. Je l'ai interrompue dans son bavardage.

« Ah ! Mon oncle ! Je vous présente une camarade de mon lycée ! » ai-je lancé à la cantonade.

Il s'est approché et l'a gauchement saluée. Il tenait à la main une partition du compositeur au programme après l'entracte. Sans doute était-il allé la chercher dans la serviette qu'il avait déposée au vestiaire. La fille a regardé d'un air interloqué cet homme trop bien habillé et surtout bien trop érudit pour un provincial. Elle m'a jeté un regard suspicieux.

« Mon oncle est le doyen du Conservatoire municipal de Niigata ! Il vient de temps en temps à Tokyo à la saison des concerts. N'est-ce pas, mon oncle ? » ai-je ajouté bien poliment.

À ce moment, la sonnerie de fin d'entracte a retenti, m'épargnant des explications plus fastidieuses. Nous nous sommes saluées et avons regagné nos places.

Une fois assis, Jinwaki San a ouvert la partition sur ses genoux.

« Vous mentez avec un aplomb étonnant, a-t-il dit simplement. Mais pourquoi Niigata ?

– Ma mère y est née. Ce n'est donc qu'un demi-mensonge…

– Il faudra que nous fassions un peu plus attention la prochaine fois ! » a-t-il murmuré tandis que la salle applaudissait le retour de l'orchestre.

Décidément, j'avais beaucoup de chance d'avoir rencontré un quadra aussi raffiné que Jinwaki San.

20

Jinwaki

Après le concert, j'ai pris congé de Saya et je suis parti de mon côté, espérant attraper le dernier train pour Kita Kamakura. Tout en marchant, une question me taraudait, lancinante : pouvait-on, malgré une telle différence d'âge, former un vrai couple, avec le respect, la patience, l'abnégation que cela suppose ? En réalité, je connaissais déjà la réponse. Elle était positive, elle s'appelait madame Takegawa.

J'avais rencontré madame Takegawa lors d'une soirée donnée dans le salon d'un hôtel à Osaka, dans le cadre d'une campagne promotionnelle organisée par notre magasin de Nara. Je déambulais au milieu de la foule, un peu perdu, désœuvré et solitaire, à la main un verre de pastis, boisson que j'avais découverte pendant mon séjour en France mais qui restait rare au Japon. C'est alors qu'une Japonaise d'un certain âge s'était approchée de moi. Elle était d'une élégance désuète, vêtue d'un kimono ancien, coiffée d'un chignon dans lequel étaient plantés un peigne en écaille de tortue et une aiguille de bambou dont les breloques se balançaient au moindre mouvement de sa tête.

« Un Japonais qui boit du pastis ! s'était-elle exclamée.

– Vous connaissez ce breuvage ? » m'étonnai-je.

Elle m'expliqua que son mari, un importateur de produits alimentaires, lui en avait rapporté une bouteille autrefois et qu'elle avait été séduite par son goût étrange. Elle m'apprit qu'elle habitait à Kyoto, au-dessus du Pavillon d'Argent.

« Il faut absolument que vous veniez dîner un soir ! Ma maison est très ancienne, construite dans les règles de l'art avec un toit concave comme peu de charpentiers savent encore en faire, un engawa * qui surplombe le jardin de mousse, un hori kotatsu ** pour le confort de mes vieilles jambes… Mais j'ai aussi fait une importante concession à mon penchant pour les boissons françaises : une cave dans laquelle j'ai entreposé quatre mille bouteilles d'excellents bordeaux et bourgognes, des millésimes rares que je ne partage qu'avec les vrais connaisseurs ! Quatre mille ! Promettez-moi de venir en déguster quelques-uns ! »

Quelques semaines plus tard, j'ai reçu une invitation. Je m'y suis rendu. C'était un soir de fin d'automne. Elle m'avait convié à me rendre chez elle avant la nuit afin de profiter du panorama et de la flamboyance des érables dans la montagne.

Je suis monté en taxi jusqu'au Pavillon d'Argent et, de là, suivant les indications qu'elle m'avait données, je suis allé à pied jusque chez elle. Loin en bas, la ville était encore baignée par la clarté orangée du soleil couchant, mais au pied des cryptomerias élancés la nuit était déjà là. J'ai pris le chemin qui menait au domicile de la vieille dame. Quelques dizaines de mètres en contrebas, je suis arrivé devant un porche surmonté d'un magnifique toit de chaume. J'ai sonné. Un déclic s'est fait entendre et une petite porte basse sur le côté s'est entrouverte. Je l'ai poussée pour entrer.

La maison était perchée à flanc de colline. Un sentier de grosses pierres y menait, traversant un jardin de mousses impeccablement tenu, éclairé çà et là de lanternes dans lesquelles vacillait la flamme d'une bougie. De là où je me trouvais, je dominais l'imposante toiture de tuiles bombée qui ressemblait à un casque de samouraï posé sur son armature d'apparat. Elle luisait comme la carapace d'un gros scarabée. J'ai aperçu loin dans la vallée la ville engoncée

* Coursive sous auvent qui entoure les maisons japonaises traditionnelles.

** Fosse de la taille d'un tatami sur laquelle se trouve une table. On s'assoie sur le tatami, jambes dans ce trou.

entre les montagnes. J'ai eu le souffle coupé devant tant de beauté. Une douce mélancolie m'a envahi.

L'entrée monumentale était encadrée de deux chimères en terre cuite de la région d'Okinawa dont les traits polis par les siècles étaient à peine visibles. Les shojis se sont ouverts et mon hôtesse m'a accueilli, vêtue d'un kimono « Tsumugi » de belle facture.

« Bonsoir, jeune homme ! Bienvenue dans mon antre ! Il était temps que vous arriviez pour faire *kampai* avec moi et me tenir compagnie. »

J'ai retiré mes chaussures et l'ai suivie dans la maison. Madame Takegawa avait ouvert les fusumas et les shojis de toutes les pièces qui donnaient sur une coursive au plancher de bois précieux. Elle m'a conduit jusqu'à l'engawa. Les érables en feu encadraient le ciel bleu nuit où s'effilochaient quelques nuages. Je n'avais jamais rien vu de si émouvant. Kyoto, au-delà du Pavillon d'Argent dont on apercevait les toits, étalait sa gloire de ville impériale. Comment moi, un Japonais, avais-je pu ignorer une telle splendeur ?

« Jinwaki, c'est trop long. Si vous me permettez cette familiarité certes quelque peu déplacée, je vous appellerai Jin. Tenez, buvez ceci », m'a-t-elle dit en me tendant un verre empli d'un breuvage laiteux. Puis, sans attendre ma réponse, elle a enchaîné : « Ce pastis vient de Haute-Provence ! C'est une marque qu'on trouve peu dans le commerce. Un ami m'en apporte régulièrement. C'est tout le sud de la France concentré dans un flacon ! Buvez ! »

J'ai porté le verre à mes lèvres et j'ai goûté ce breuvage qui ne me rappelait que de très loin le pastis de commerce mais qui était parfumé comme le saké toso de nouvel an.

« Madame Takegawa, c'est délicieux, mais très différent de ce que je connais.

– N'est-ce pas ? Mes amies me trouvent excentrique de boire un tel nectar ! »

La nuit était tombée. On ne distinguait plus les montagnes, qui se confondaient avec le ciel. Les lumières de la ville tremblotaient au loin dans l'air vif. J'ai frissonné. Nous sommes rentrés dans la maison. Madame Takegawa a tiré les shojis, ne laissant ouverts que les panneaux coulissants inférieurs afin que, assis sur les tatamis, nous puissions jouir de la vue.

Elle avait dressé la table du kotatsu avec une vaisselle comme je n'en avais vu qu'à l'étage des antiquités de nos magasins. Devant les assiettes Imari en parfait état étaient disposés des verres de cristal rehaussés d'un filet d'or, ainsi qu'un impressionnant alignement d'argenterie à côté de baguettes en laque rouge. Cet étrange contraste entre cette table dans la tradition japonaise, une verrerie et une argenterie occidentales, le tout dans le cadre et le dépouillement ascétique de la demeure d'un orgueilleux samouraï m'a frappé par la parfaite harmonie qui s'en dégageait.

Mon hôtesse m'a fait asseoir à son côté, face au jardin. Près d'elle, posé sur le tatami, il y avait un nécessaire à fumer japonais. Un peu plus loin sur une table basse, j'ai remarqué une photo en noir et blanc un peu délavée d'un couple pris en pied. L'homme portait un magnifique kimono d'apparat. Il paraissait avoir dans les soixante ans. À côté de lui se tenait une ravissante jeune fille d'une vingtaine d'années, vêtue du kimono de cérémonie et de la coiffe blanche que portent les femmes de mon pays quand elles se marient. J'ai reconnu dans ce visage d'une beauté diaphane encadré de cheveux coiffés en une coque impeccablement laquée les traits de la vieille dame. J'ai pointé le doigt vers la photo et n'ai pu m'empêcher de poser une question terriblement indiscrète.

« C'est votre père qui vous accompagne à votre mariage ? »

Elle a eu un rire suivi d'une petite toux sèche.

« Mais non, ce n'est pas mon père ! C'est mon mari ! Cette photo a été prise le jour de notre mariage ! »

Ses yeux ont brillé d'un éclat soudain. J'ai baissé les miens, embarrassé.

« Il avait soixante-trois ans et moi vingt-deux quand nous nous sommes rencontrés. Il était veuf depuis quelques années. Nous sommes immédiatement tombés follement amoureux l'un de l'autre. Trois mois plus tard, je l'ai épousé. J'ai vécu près de lui les vingt-cinq plus belles années de ma vie. Quand il est parti pour d'autres cieux, je n'ai pas supporté de rester à Tokyo, où il avait son affaire d'importation de produits alimentaires. J'ai tout vendu et je suis venue m'installer ici, dans la maison de ma famille que j'avais quittée vingt-cinq ans plus tôt. Je suis une vieille dame, à présent, mais il est toujours près de moi, tous les jours, à chaque minute de ma vie. Vous allez me dire que, pour une Japonaise, c'est d'un sentimentalisme déplacé… »

Elle s'est levée pour se rendre dans la cuisine. Je suis resté silencieux, sidéré par cet amour fou entre un homme d'âge avancé et une si jeune fille, envieux aussi d'une telle passion, moi qui vivais déjà à l'époque aux côtés de ma femme une vie sans émotion ni désir…

21

Kaori

Nous avons marché un moment, bousculées par une foule interlope comme on n'en voit jamais à Kamakura. En citadines endurcies, Fumie et Rie naviguaient sans problème dans ce magma qui, moi, m'inquiétait un peu sans que je le laisse paraître. Finalement, nous sommes arrivées devant un de ces « immeubles crayons » dont on se demande comment ils peuvent tenir debout tant ils sont étroits. Nous avons attendu l'ascenseur dans un vestibule ouvert à tous les vents derrière quatre personnes, des quadragénaires en costume sombre. Il s'est ouvert sur deux hommes à la face rubiconde suivis de trois hôtesses qui les raccompagnaient. L'une d'elles, d'âge mûr, portait un kimono sobre, ses cheveux étaient remontés en un chignon tout simple. Elle avait au doigt un solitaire de belle taille. Ce devait être une « Mama San ». Les deux autres filles étaient très jeunes, à peine l'âge de Satomi. Malgré le froid, elles étaient très légèrement vêtues. J'ai soupiré intérieurement, essayant de me rappeler à quoi nous ressemblions à leur âge. Il a suffi d'une génération pour que nos filles deviennent filiformes, avec des hanches étroites, des jambes interminables et de la poitrine, alors que nous étions plates comme des limandes, avions le buste trop long et les jambes trop courtes.

L'ascenseur étant trop petit pour tout le monde, nous avons laissé passer les quatre hommes qui se trouvaient devant nous. En attendant, je suis restée un peu en retrait de mes amies et j'ai observé avec curiosité le manège des jeunes filles, qui papillonnaient en minaudant autour des deux hommes, leur tapant sur l'épaule, leur prenant la main, la massant entre les doigts ou la serrant contre leur poitrine. Les deux inconnus se laissaient faire. Une fille s'est plaquée un instant contre un des clients, un sexagénaire au souffle court, ce qui a fait remonter sa minijupe et a dévoilé un string transparent.

« Revenez vite nous voir, et ne nous laissez pas sans nouvelles ! » a-t-elle dit avant de s'esquiver habilement au moment où le bonhomme s'apprêtait à glisser sa main sur sa cuisse.

Une limousine noire s'est garée devant l'immeuble. Le chauffeur s'est précipité pour ouvrir la portière aux deux hommes, qui se sont engouffrés sur la banquette arrière tandis que les deux filles agitaient frénétiquement la main et que la femme en kimono saluait sobrement. Dès que la voiture s'est éloignée, elles se sont instantanément figées, serrant leurs bras contre leur corps pour se réchauffer, et elles sont venues se coller sans rien dire derrière nous.

Nous avons enfin pu emprunter l'ascenseur et sommes montées au sixième étage jusqu'au Dandy, le club d'hôtes où Fumie nous avait entraînées. Le palier était sombre et silencieux. Un néon diffusait une lumière glauque, tandis qu'un spot éclairait un heurtoir en forme de main qui reposait sur un sein en bronze fixé sur une imposante porte de chêne sculptée. Tout cela m'a paru un peu sinistre.

Fumie a actionné le heurtoir. La porte s'est ouverte sur un vacarme assourdissant, où des rires se mêlaient à une musique disco très syncopée. Une sorte de majordome vêtu d'un gilet rouge et vert de très mauvais goût nous a débarrassées de nos manteaux et nous a guidées vers une vaste salle tendue de tissu noir. Les murs étaient recouverts de miroirs aux cadres richement ornés de feuilles d'acanthe et de fruits travaillés à la feuille d'or. En y regardant d'un peu plus près, je me suis aperçue qu'il s'agissait en réalité d'organes génitaux. Des tables basses en verre transparent abritaient des gravures évoquant, dans un style Arts Déco, les estampes érotiques d'Utamaro. Tout ce décor était kitsch, vulgaire et malsain.

Un serveur nous a dirigées vers un îlot de banquettes. Quatre garçons d'une vingtaine d'années, en costume noir et chemise de marque, nous ont rejointes en nous saluant bruyamment. Un serveur a apporté un grand seau rempli de glaçons en forme de sexe en érection, des verres et une bouteille de whisky. Sur l'étiquette était écrit « Madame Watanabe » au feutre rouge.

« Mesdames, bienvenue au paradis des femmes ! s'est exclamée Fumie tandis que le serveur remplissait nos verres. Il n'est pas interdit de sucer les glaçons. *Kampai !* »

Nous l'avons imitée. Rie m'a regardée d'un air qui en disait long. De toute évidence, elle regrettait comme moi de s'être laissé attirer dans cet antre de dépravation, mais puisque nous y étions, autant goûter à l'expérience jusqu'au bout en faisant contre mauvaise fortune bon cœur. Nous avons donc entamé la conversation avec les hôtes. En faisant les présentations, Fumie leur avait hélas confié que j'avais vécu un certain nombre d'années en France et que je parlais couramment la langue de Molière, ce qui était bien sûr très exagéré. Les hôtes se sont extasiés comme s'ils avaient découvert que j'avais eu le prix Nobel de littérature et m'ont posé toutes sortes de questions sur Paris et ses habitants, qui ont forcément fini par déraper vers des considérations déplacées et des demandes de traduction d'expressions salaces. Pour ne pas faire perdre la face à Fumie, j'ai accepté de répondre aux questions qu'ils me posaient.

« Comment dit-on "*ai shite imasu*" ? » m'a demandé l'un d'eux.

Avant que je puisse répondre, un autre a aussitôt levé la main.

« Tout le monde sait cela : "je t'aime" !. »

Nous avons applaudi et trinqué à l'érudition de ce jeune homme.

« Un peu plus compliqué, maintenant ! Comment dit-on "*anata to netai*" ? »

Un autre gigolo, qui venait de rejoindre notre groupe, est intervenu :

« C'est le refrain d'une chanson d'Aretha Franklin : *Voulez-vous coucher avec moi, ce soir ?* C'est bien cela, n'est-ce pas, madame ? » a-t-il ajouté en se tournant vers moi.

Rie est entrée dans la conversation pour demander si nous étions sûrs que cette chanson était bien d'Aretha Franklin, et non de Diane Warwick ou de Diana Ross. Nous avons débattu du sujet pendant un bon moment en continuant à siroter nos whiskies.

« Moi, je voudrais savoir comment on traduit "*watakushi wo namete kudasai* *" ! »

La tablée a lâché un « Oooh ! » faussement indigné. Je n'avais plus trop envie d'être dans la ligne de mire, et puis, je ne savais vraiment pas comment traduire cela. J'ai répondu avec un sourire en coin qui pouvait laisser entendre le contraire de ce que je disais :

« Je l'ignore. Je n'ai jamais couché avec un Français.

– Quelle erreur ! s'est exclamé un des hôtes. Il paraît qu'ils sont formidables au lit. C'est ce qu'une copine m'a dit.

– Racontez, Kaori San ! Racontez ! s'est mise à scander Fumie. Cela ne sortira pas d'ici ! »

Tous étaient maintenant persuadés qu'à Paris j'avais pris du bon temps. Je ne savais plus comment me tirer de ce mauvais pas.

« Désolée, il y a des choses intimes qui ne se partagent pas », ai-je maugréé.

Cela n'a fait qu'aggraver les choses. Fumie, qui me prenait certainement pour une cruche depuis que nous nous connaissions, m'a regardée d'un œil brillant. Je me suis excusée et me suis éclipsée aux toilettes.

À mon retour, la conversation avait changé de sujet, personne ne semblait plus faire attention à moi. Enfoncée dans les coussins moelleux, gagnée par la torpeur du whisky, je me suis mise en veilleuse. Je n'ai pas réagi lorsque le jeune homme assis près de moi a posé une main sur mon genou : au contraire, je l'ai laissé faire. Il était particulièrement mignon. Il s'est aventuré du côté de mon bas-ventre, creusant la jupe de mon tailleur.

* « Veuillez me lécher. »

Un éclat de rire strident m'a fait sortir de ma léthargie. C'était Fumie. Je l'ai vue se pencher sur son voisin. Elle a ouvert sa braguette. De l'autre main, elle a tiré de son sac un billet de 10 000 yens avant de le glisser dans le pantalon de l'hôte. Le garçon s'est redressé et s'est pavané devant elle au rythme de la musique techno. Fumie s'est mise à parodier une fellation en plaquant ses mains sur ses fesses. Les tables voisines se sont mises à applaudir au rythme des va-et-vient de Fumie, bientôt imitées par la salle entière. Le jeune homme près de moi a passé un bras autour de ma taille, remontant doucement vers mes seins. C'était la première fois depuis mon mariage qu'un autre homme que mon mari me touchait ainsi. J'aurais dû me dégager mais je flottais dans une sorte de bien-être. Mes tétons ont durci, mes jambes ont commencé à s'écarter. Mon hôte en a profité pour caresser mon pubis à travers ma jupe. Essayant de me donner une contenance, j'ai pris le verre posé devant moi et j'ai bu une gorgée de whisky. Mes amies ne semblaient s'être rendu compte de rien : leur attention était captée par Fumie, qui simulait un coït avec son gigolo, le tenant étroitement serré contre elle, la tête renversée, les yeux révulsés. Je me suis demandé un instant si elle ne jouissait pas pour de bon. Elle a fini par se dégager puis, telle une actrice de la revue Takarazuka, elle a salué son public en tournant avant de se rasseoir, vidant son verre d'une traite. J'étais sidérée par son impudeur. Mon partenaire s'est joint à l'ovation, me laissant un moment en tête à tête avec mon trouble.

Un serveur a apporté une large coupe remplie d'un mélange apéritif.

« De la part de la table voisine, pour vous féliciter de votre performance ! »

Fumie s'est relevée pour adresser un salut de remerciements.

« Je suggère que nous fassions une guirlande de billets pour le jeune homme qui a si bien joué son rôle, a-t-elle lancé à la cantonade. Je vais faire la quête ! »

Joignant le geste à la parole, elle a pris la coupe de friandises posée sur la table basse, en a renversé le contenu, qui s'est éparpillé, puis elle est passée de table en table. Chacune de nous ayant ajouté son obole, elle avait bientôt rassemblé un joli petit tas de billets. Le barman lui a tendu une bobine de fil à coudre. Fumie a enfilé un à un les billets pour confectionner une sorte de collier qu'elle a ensuite noué autour du cou de son voisin avant de l'embrasser sur la joue. Il devait y en avoir pour au moins 100 000 yens. Sur les billets, les effigies de Natsume Soseki *, de Fukuzawa Yukichi ** et de Higuchi Ichyou *** semblaient consternées.

Nos amies n'ont pas tardé à prendre leurs affaires et à s'éclipser pour rentrer chez elles, me laissant seule avec Fumie et nos gigolos respectifs. Le mien a de nouveau posé ses mains sur moi, explorant les courbes de mon corps et froissant doucement mes vêtements. La salle autour de moi paraissait plus sombre, la musique moins violente, les rires et les éclats de voix plus doux. Fumie avait tout vu. Elle est venue s'asseoir près de moi.

« Il vous plaît ? a-t-elle chuchoté à mon oreille. Regardez-le bien ! Il est beau garçon, n'est-ce pas ? »

Je me suis tournée vers lui. À travers la brume de mon regard, j'ai vu un visage un peu efféminé comme nous les aimons, nous les Japonaises : l'ombre d'une fossette creusant le menton, la peau lisse et hâlée, les cheveux de jais un peu longs, les petites lunettes à fine monture d'or derrière lesquelles brillait un regard en mal d'affection…

« On dirait le héros de *Sonate d'hiver*, Pe Yon Jun ! ai-je pouffé.

– Vous n'avez pas tort… il est d'origine coréenne. Vous avez de la chance !

– De la chance ?

– Oui. Vous lui plaisez. C'est la vedette du Dandy ! Toutes les

* Célèbre écrivain du début du vingtième siècle représenté sur les billets de 1 000 yens.

** Fondateur de l'université Keio figurant sur les billets de 10 000 yens.

*** Femme écrivain de la fin du dix-neuvième siècle dont l'effigie est sur les billets de 5 000 yens.

clientes raffolent de lui. Beaucoup aimeraient qu'il leur accorde ses faveurs. » Fumie a posé sa main sur mon genou. « Vous avez de jolies jambes, vous devriez les exploiter !

– Les exploiter ?

– Les mettre en valeur, les exposer, porter plus souvent des jupes, mettre des bas... N'ayez pas peur de votre pouvoir de séduction !

– Mais je suis mariée ! ai-je lancé comme un cri de détresse.

– Décidément, vous êtes incorrigible ! Vous devriez vous laisser aller, pour une fois. Vous êtes bien trop coincée ! C'est dommage quand on est jolie comme vous l'êtes... »

Je n'ai rien répondu. Je me sentais de plus en plus mal à l'aise.

« Vous auriez mille fois le temps de passer un moment tranquille avec ce garçon et de rentrer chez vous, a-t-elle ajouté. Personne ne s'en apercevrait. Nous allons partir avec eux... Il y a un petit hôtel charmant à deux pas, un endroit discret et propre où nous pourrons passer un moment d'intimité. Disons une heure ou deux, cela vous irait ?

– Mais mon mari...

– Votre mari ! Nos maris ! Si vous saviez ce qu'ils font pendant que nous gérons l'intendance, vous auriez moins de scrupules ! Ce jeune homme vous plaît, n'est-ce pas ? Il paraît que c'est un très bon coup.

– Parce que nous allons... me suis-je étranglée. Mais je ne l'ai jamais fait... Je veux dire, je n'ai jamais trompé mon mari !

– Cela n'a rien à voir. Là où il n'y a pas de sentiments, il n'y a pas tromperie. Et puis, on les paie pour ça... il n'y a aucun risque de s'attacher à eux.

– Il faut payer ?

– Ma chère, je vais finir par croire que vous êtes vraiment très naïve !

– Combien faut-il... prévoir ?

– Je dirais 100 000 yens. Il les vaut bien.

– 100 000 yens ? me suis-je écriée, effarée. Mais je n'ai pas cette somme sur moi !

– Qu'à cela ne tienne, je vous l'avance. » Elle a ouvert son sac à main et en a sorti une liasse de billets de 10 000 yens. Elle m'en a tendu dix. « Vous allez voir, passé la première gêne, c'est très agréable. Et puis, avouez que cela ne vous est pas arrivé depuis bien longtemps, a-t-elle ajouté d'un ton égrillard. Est-ce que je me trompe ? »

Je n'ai pas répondu. Déjà, Fumie et les autres étaient debout, prêts à partir. Nous avons quitté le Dandy et sommes redescendus au rez-de-chaussée. Un taxi nous attendait devant l'immeuble. Quelques minutes plus tard, il nous déposait à l'hôtel dont Fumie m'avait parlé.

J'avais envie de m'enfuir à toutes jambes, mais je me sentais très fatiguée. Après s'être occupés des formalités à la réception, Fumie et son compagnon sont montés les premiers en nous faisant un petit signe.

« À tout à l'heure ! Reposez-vous bien ! »

J'ai imaginé un instant que c'était ce qui allait se passer : j'allais m'allonger un moment jusqu'à ce que mon mal au cœur s'apaise. Le jeune homme se contenterait de venir poser un chaste baiser sur mes lèvres avant de s'assoupir dans un fauteuil... À peine étions-nous entrés dans la chambre qu'il m'a ôté toute illusion :

« Rassurez-vous, je suis un adepte des rapports protégés. Avant de passer à la suite, si vous ne voyez pas d'inconvénient, expédions les formalités !

– Les formalités ?

– Oui. Je veux dire, pourriez-vous me confier votre contribution avant ce moment de repos bien mérité que nous allons partager ? »

J'ai sorti la liasse de billets et je la lui ai tendue. Il s'est incliné en me remerciant. Je suis restée les bras ballants, aussi raide qu'un bambou. Il m'a pris mon sac et l'a posé sur une chaise près du lit, puis il m'a aidée à retirer la veste de mon tailleur. J'ai frissonné.

« Vous avez froid ? »

J'ai secoué la tête. Il s'est approché de moi et m'a attirée vers lui. Il s'est mis à remuer doucement le bassin, cherchant mon entre-jambe. Il a posé ses lèvres chaudes sur les miennes. J'ai fermé les yeux, le vertige m'a reprise. Nous sommes restés ainsi quelques secondes, immobiles. Soudain, sa langue a forcé mes lèvres, elle s'est faufilée entre mes dents pour prendre possession de ma bouche tandis que ses mains s'efforçaient de relever ma jupe à la recherche de mon sexe. Soudain dégrisée, je me suis débattue en essayant de le repousser. Se méprenant sur mes intentions, il a tiré sur mon collant et a passé sa main sur ma peau nue. Je me suis débattue de plus belle mais il n'a pas lâché prise, s'enfonçant toujours plus loin dans mon intimité. Alors j'ai serré les dents sur sa langue. Son sang s'est aussitôt répandu dans ma bouche. Il a gémi de douleur et m'a repoussée brutalement, me faisant tomber sur le lit.

« Mais vous êtes folle ou quoi ? Je veux bien que vous soyez excitée, mais cela ne vous donne pas le droit de me mordre ainsi !

– Pardonnez-moi… Je ne peux pas…

– Vous ne pouvez pas quoi ?

– Je ne peux pas. Simplement, je ne peux pas. Cela n'a rien à voir avec vous. Vous êtes très séduisant et très gentil, mais je ne peux pas ! Vous comprenez, je suis une femme honorable, je n'ai jamais couché avec quelqu'un d'autre que mon mari. Pas depuis mon mariage.

– Une femme honorable ? Mais qu'êtes-vous venue foutre au Dandy ? C'est vraiment n'importe quoi !

– Je regrette. Je regrette vraiment. Je vous supplie d'oublier ce moment d'égarement ! »

Il s'est dirigé vers la table de nuit sur laquelle était posée une boîte de kleenex. Il a pris un mouchoir et s'est essuyé les doigts avec une moue dégoûtée qui m'a profondément humiliée. Ma jupe était toujours retroussée sur mes cuisses largement dévoilées, l'élastique de mon collant me mordait les fesses. Je me suis relevée pour remettre de l'ordre dans ma tenue, toute tremblante.

« Et mon argent ? Pourriez-vous me rendre la moitié de mon argent, s'il vous plaît ? »

Il n'a pas répondu. Sans un regard, il s'est dirigé vers la porte et a quitté la chambre.

Je me suis précipitée dans la salle de bains et me suis mise à vomir en sanglotant, me vidant de l'infâme désir qui m'avait traversée et essayant de comprimer l'incommensurable honte qui envahissait mon cœur.

22

Jinwaki

Du jour où Saya est entrée dans ma vie, elle y a pris une place essentielle. Elle est devenue la bouée à laquelle je me suis accroché pour ne pas me noyer. Sans elle, je me serais probablement jeté sous un train ou précipité du haut d'une tour.

Une nuit, peu de temps après notre première soirée à un concert, j'ai rêvé que je marchais sur un sentier le long d'un précipice effrayant. La roche s'effritait sous mes pas mais je ne pouvais pas faire demi-tour. Soudain, un bloc s'est détaché et j'ai perdu l'équilibre. Au-dessus de moi, il y avait un arbre accroché à un surplomb de la falaise : comme si elle avait soudain pris vie, une branche s'est abaissée jusqu'à moi et j'ai pu m'y agripper, échappant ainsi à une chute fatale. La branche m'a ensuite hissé jusqu'au promontoire : de l'autre côté du précipice, s'élevait une chaîne de montagnes infranchissables. Mais, derrière moi, il y avait une prairie verdoyante dont les hautes herbes se balançaient doucement au gré du vent. L'arbre a sorti ses racines de terre et il m'a emmené vers la prairie. Quand je me suis retourné, surpris qu'un arbre puisse ainsi se déplacer, il s'est métamorphosé en une belle jeune fille : c'était Saya.

J'avais bien conscience que cette relation n'avait été rendue possible que par l'immense et brutal déséquilibre qui m'avait saisi quand l'inconcevable s'était produit : la perte de mon emploi. De même que jamais je n'aurais pensé être licencié d'une entreprise à laquelle j'avais tant donné, jamais non plus je n'aurais imaginé, même dans mes rêves érotiques les plus improbables, que je coucherais avec une lycéenne. Petit à petit, cependant, l'ignominie de ma liaison avec Saya s'est effacée, remplacée par un élan du cœur comme je n'en avais jamais connu. Insensiblement, le centre de mes préoccupations a glissé de mon licenciement vers Saya. J'ai commencé à envisager mon chômage avec désinvolture. J'ai passé mes trois dernières semaines au grand magasin dans un état second dont je ne sortais qu'à l'approche d'un rendez-vous avec Saya. Alors, je devenais fébrile. Avant de prendre le train pour Shibuya, je tirais quelques billets à un distributeur automatique. C'était le seul moment où j'avais mauvaise conscience : je me maudissais de dépenser un argent qui allait bientôt manquer.

Trois jours après le concert au Suntory Hall, j'ai rejoint Saya dans la chambre de l'hôtel de passe de Shibuya. En revenant au même endroit, en m'affichant au salon de thé avec elle, je contrevenais à toutes les précautions élémentaires dans ce genre de situation. J'étais même allé jusqu'à lui donner mon véritable nom quand elle m'avait demandé comment elle devait m'appeler. Peut-être était-ce une autre forme de suicide.

Ce jour-là, lorsque je l'ai dévêtue, j'ai arpenté chaque centimètre de son corps de mes mains et de ma bouche. Seuls le léger renflement de son ventre au-dessus du pubis et la fermeté de sa peau trahissaient son extrême jeunesse, qui tranchait avec les premières taches de vieillesse sur mes mains. Débarrassé de toute inhibition, je lui ai fait l'amour comme à une vraie femme, face à face, en contemplant son visage aux yeux fermés, les mains perdues dans l'opulence de sa chevelure, m'attardant sur le petit creux près de sa tempe, ému par la fragilité de cette vie dont je sentais la pulsion sous mes doigts. Et pourtant, je ne suis pas parvenu à la faire jouir. « Cela ne m'est jamais arrivé », me disait-elle.

Un soir, elle a évoqué une relation sexuelle avec un autre partenaire. J'ai ressenti un pincement, tout au fond de moi. Qu'une fille ait connu d'autres hommes avant moi ne m'avait jamais gêné. Mais l'image de Saya caressée par des mains autres que les miennes m'était insupportable. J'imaginais qu'alors même que je lui faisais l'amour elle pensait peut-être à l'odeur d'un autre, au goût de sa salive, à son sexe. À la longue, cet autre-là finissait par se glisser entre Saya et moi. J'aurais voulu qu'elle soit à moi, et à moi seul. Bref, j'étais tombé dans une dépendance absolue qui me ravissait et me révoltait à la fois.

Nous avons commencé à alterner soirées de concert et d'amour. Les soirs de concert, nous ne faisions pas l'amour, pas plus que nous n'allions au concert après les moments passés à Shibuya. Par une sorte d'entente tacite, nous avions décidé de ne pas mélanger les deux. Il eût été par ailleurs matériellement difficile de le faire, Saya étant coincée entre les horaires de ses cours et la nécessité de rentrer chez elle à une heure décente. Ces contraintes et son uniforme étaient bien les seules choses qui me rappelaient que j'avais une liaison avec une lycéenne.

De mon côté, j'ai commencé à prendre de plus en plus de liberté avec mes heures de travail, alors que la date à laquelle je devais quitter l'entreprise approchait. Personne ne semblait se soucier de ma présence, surtout depuis que mon remplaçant était arrivé et que je lui avais passé la main. Le mercredi après-midi, Saya avait un cours de gymnastique dont elle était parvenue à se faire dispenser. C'était le seul moment de la semaine où elle disposait d'une plage de temps importante. Je la rejoignais au café Le Soupir, où nous prenions un thé en choisissant dans le magazine *Pia* les concerts auxquels nous assisterions plus tard ; elle réservait les places avec son portable, puis nous allions nous enfermer dans une chambre de l'hôtel de passe jusqu'aux premières heures du soir.

Afin d'être à la hauteur ces longs après-midi-là, j'achetais des pilules de Viagra à l'unité sur un site Internet. Je me les faisais livrer à Yokohama, au bureau de la mafia du port, où travaillait un vieux copain d'école communale qui avait mal tourné mais dont la fidélité et la discrétion étaient irréprochables.

Un jour, avant d'aller retrouver Saya, j'ai fait sans remords une chose qui ne m'était jamais arrivée de ma vie : j'ai volé dans le réduit de mon bureau où il était entreposé un joli ensemble de marque pour le lui offrir, afin qu'elle le porte le vendredi suivant – nous avions prévu d'assister à *La Flûte enchantée* dans la grande salle de concerts du Centre culturel d'Ueno. C'était un tailleur de taille 38, renvoyé par une cliente du département Gaisho. Elle l'avait sans doute porté une fois, puis elle l'avait rendu pour ne pas avoir à le payer. Il irait parfaitement à Saya.

À seize heures, je suis sorti par la porte principale du magasin, balançant nonchalamment le sac au bout de mon bras. Personne n'a rien remarqué.

Quand j'ai tendu le cadeau à Saya, elle l'a ouvert avant de me regarder et de me dire avec modestie :

« Est-il bien raisonnable qu'une fille de mon âge porte quelque chose d'aussi beau ? Vous avez fait une folie que je ne mérite pas ! »

Elle l'a tout de même mis pour le concert de Mozart, avec des chaussures à talons de dix centimètres qu'elle m'a dit avoir empruntées à sa mère. Avec sa taille élancée et ses jolies formes, son port de tête altier et son élégance naturelle, l'ensemble lui allait à ravir. Elle ne faisait ni ridicule ni poule de luxe.

Un mercredi après-midi, Saya est arrivée un peu en retard au Soupir. Elle m'avait prévenu par SMS. Elle m'avait appris à me servir de mon portable et je commençais à devenir aussi adroit qu'un ado, jonglant d'une fonction à l'autre, émaillant les messages que je lui envoyais de pictogrammes animés. Quand elle me téléphonait, mon téléphone clignotait au rythme de *L'Hymne à la joie*. Il était rempli de ses messages, que je sauvegardais précieusement.

Un peu essoufflée, elle s'est assise devant moi. Nous avons commandé des boissons chaudes. Saya a regardé autour d'elle pour s'assurer que personne n'était assis à une table près de la nôtre avant de se pencher vers moi et de murmurer à mon oreille :

« Je dois vous avouer quelque chose : j'ai mes règles depuis deux jours. Mais je ne voulais pas annuler notre rendez-vous ! »

J'ai baissé les yeux. Je n'ai pas l'habitude d'avoir de telles conversations. Je me suis tortillé sur ma chaise sans savoir quoi répondre.

« Je n'ai jamais fait l'amour à ce moment-là ! Mais, si vous le désirez, nous irons à l'hôtel tout de même. J'ai acheté ce qu'il fallait pour ne pas salir les draps. »

Les femmes que j'ai fréquentées dans ma vie ont toujours évité le sujet avec pudeur et il ne m'est jamais venu à l'idée de passer outre. J'étais donc mal à l'aise et, en même temps, j'étais flatté que Saya aborde un sujet aussi intime avec moi.

« Tu veux dire que tu serais disposée à le faire ?

– Avec vous, oui. Vous devez me trouver dégoûtante…

– Non. Mais c'est nouveau pour moi d'avoir une conversation sur un sujet si… féminin !

– Je ne sais pas pourquoi, mais je ne ressens aucune gêne à vous parler de ça. D'habitude, les femmes se cachent, alors que ce n'est pas particulièrement honteux, n'est ce pas ? »

J'ai vu dans son regard une lueur nouvelle qui m'a inquiété un instant. Ce n'était certes pas la perversion qui l'animait. En acceptant de se donner à un tel moment, elle m'invitait à passer un nouveau cap dans nos relations. Et moi, pris dans les rets d'une attirance inconnue où la raison n'avait plus de place, ayant déjà franchi toutes les barrières des interdits sociaux, j'étais prêt à aller au bout de moi-même. En quelque sorte, elle m'offrait de sceller dans le sang une passion qui dépassait notre entendement.

J'ai payé les consommations et j'ai suivi Saya vers l'hôtel de passe.

23

Saya

Je dois me rendre à l'évidence : je ne contrôle plus mes sentiments.

Je me suis lancée dans cette affaire de rapports subventionnés par pur cynisme. Tenir un homme mûr à sa merci, c'est une chose facile, tant que celui-ci a beaucoup à perdre. C'est ce rapport de force qui protège de tout mouvement de cœur intempestif : le mépris qu'il suscite est un antidote imparable à toute émotion. Je méprise le médecin légiste, sa veulerie, ses concessions à mes caprices. Je décide d'augmenter mon tarif, il obtempère. Je lui donne rendez-vous le matin pour le soir même, il se débrouille pour annuler ses rendez-vous professionnels. Il est faible. Il se cache avec arrogance derrière son titre mais il s'aplatit à la première injonction.

Jinwaki, lui, m'a immédiatement donné l'impression d'être indifférent à toute forme de chantage ou de pression. À croire qu'il n'a rien à perdre. Tant que l'argent était ma seule motivation, quel que fût l'usage auquel je le destinais, mes relations sexuelles restaient désincarnées, un simple moyen pour me procurer ce dont j'avais besoin. Mon refus de prendre les billets de Jinwaki en paiement de notre premier rendez-vous sexuel a balayé ce principe. Avec lui, il était écrit que les choses déraperaient. J'avais pourtant simplement l'intention de ferrer un quadra en quête de sensations fortes quand il m'a abordée au Sombrero. J'ai cependant bien vite senti ce que le hasard de notre rencontre avait de providentiel. Cette passion identique pour la musique classique, une partie de notre vie passée à l'étranger, dans la même ville, notre connaissance commune du français… rien de tout cela n'était fortuit.

Depuis cinq mois que nous nous fréquentons, ce pressentiment s'est mué en certitude. Aurais-je rencontré mon destin ? Cela me paraît un peu tôt, mais y a t-il un âge pour cela ?

À la différence du médecin légiste, je sais finalement peu de choses sur Jinwaki. Son nom, le numéro de son portable… c'est tout. Je me demande s'il n'est pas musicien ou professeur de musique, peut-être même chef d'orchestre, à le voir lire les partitions lors d'un concert, soulignant le couac, la fausse note ou les libertés que prend un soliste avec une mélodie. Il ressemble à un cadre quelconque, mais sans les contraintes inhérentes à un tel métier. Il donne l'impression d'être libre ou, comme il m'a dit un jour, d'accepter sans jamais être résigné que la vie soit faite de longues périodes d'adversité et de brefs moments de plénitude.

J'ignore si Jinwaki est marié, s'il a des enfants, où il habite. Je pourrais regarder son portefeuille ou sa carte de transport pendant qu'il se douche ou qu'il dort à mes côtés, mais j'aurais le sentiment de tromper la confiance qu'il m'accorde. Peut-être accepterait-il de répondre aux questions qui me taraudent de temps à autre, mais il est possible que, au fond de moi, je n'aie pas envie de savoir. Je sais bien que le mystère qui l'entoure fait partie de son charme.

La semaine dernière, j'ai passé un cap en décidant de rompre avec mon copain et de me débarrasser de mon vieux client pour avoir plus de temps à consacrer à Jinwaki. Avec le médecin légiste, cela a été simple et rapide, comme je l'avais prévu. Je lui ai accordé mes faveurs une dernière fois avec une répulsion renforcée par le fait que j'avais l'impression de trahir Jinwaki. Quand je suis sortie de la douche, il m'a donné mon enveloppe et a pris son agenda en vue de noter le prochain rendez-vous.

« Pardonnez-moi, ai-je dit en me dirigeant vers le vestibule de la chambre, mais il n'y aura pas de prochaine fois. Je vous remercie de votre sollicitude tout au long de ce rapport subventionné », ai-je ajouté en insistant sur les deux derniers mots.

Il est resté assis sur le bord du lit, le crayon suspendu au-dessus de son calepin.

« Ce n'est pas possible ! a-t-il couiné.

– Ce qui n'était pas possible, c'est que cela dure. Maintenant, s'il vous plaît, laissez-moi partir. »

Il s'est levé et s'est approché, incrédule.

« Tu veux dire que nous ne nous verrons plus ?

– Oui. Plus jamais. Je vous ai assez importuné et ne voudrais pas devenir un fardeau pour vous. Et puis, je suis certaine qu'un sentiment de lassitude vous gagnerait tôt ou tard !

– Tu ne pourrais pas me laisser décider du moment où je serai fatigué de te voir ?

– Non. Ce n'est pas dans les règles de notre accord. Je suis peut-être une marchandise pour vous, mais une marchandise qui a le pouvoir de choisir quand vous ne pourrez plus la consommer. De gourmand vous êtes en train de devenir goinfre ! Le sage le dit bien : "Il faut arrêter de manger avant de ne plus avoir faim !"

– Mais tu ne peux pas me quitter aussi brutalement ! Ce n'est pas correct !

– N'inversons pas les rôles ! Ce qui n'est pas correct, c'est qu'un homme de votre âge couche avec une fille aussi jeune que moi. Et en la payant, par-dessus le marché, ce qui, au regard de la loi, aggrave votre cas… »

Il a blêmi. Sa main qui tenait l'agenda s'est mise à trembler, il a reculé d'un pas. J'en ai profité pour ouvrir la porte de la chambre, m'inclinant une dernière fois avant de sortir.

« Je vous remercie pour votre patience et votre générosité. Je vous souhaite une bonne santé. Soyez tranquille : vous n'entendrez plus jamais parler de moi. »

Avec mon petit copain, cela a été moins facile. Je n'avais pas sur lui de moyen de pression aussi efficace qu'avec le médecin légiste. Nous avons parlé pendant des heures assis sur un banc, dans le parc, près du lycée. Je n'avais pas de raison très claire de rompre avec lui, ni de reproche particulier à lui faire. Certes, il m'a offert ma première expérience sexuelle, mais il n'y avait pas de quoi en faire tout un plat. Avec le recul, je regrette de ne pas m'être d'abord offerte à Jinwaki, mais on ne refait pas l'histoire. Plus je fréquentais Jinwaki, plus mon petit copain me paraissait fade, sans intérêt. Bien sûr, je suis suffisamment lucide pour me rendre compte qu'un garçon de son âge ne peut porter en lui la maturité, la somme de connaissances, la profondeur d'un homme mûr dont l'expérience de la vie a forgé le caractère. Avec Jinwaki, j'ai l'impression de m'élever et, en même temps, je sens confusément que je joue un rôle dans son équilibre et que je l'aide à surmonter le désarroi qui semble l'étreindre par moments. En revanche, je n'avais rien en commun avec mon petit copain, hormis le bout de chemin que nous faisons entre le lycée et la gare pour rentrer chez nous. Cela a simplement dérapé un jour vers un *love hotel*, sans désir ni attirance de ma part. La seule chose qui me restera de lui est une pile de CD qu'il a piratés en les copiant sur son ordinateur : du rock que je n'aime pas particulièrement, un peu de jazz et de soul, quelques chanteurs de variétés japonais sans grand intérêt.

J'ai fini par le laisser pleurnicher tout seul sur son banc, m'éloignant à grandes enjambées dans l'allée du parc.

Hier, j'ai fait l'amour avec Jinwaki comme il me le demandait depuis un petit moment dans ses SMS : je lui ai offert mon petit soleil. Je fais désormais partie des 32 % de Japonaises qui ont avoué faire ou avoir fait cela « régulièrement, assez souvent, parfois ou au moins une fois », comme je l'ai lu un jour dans une revue féminine.

À cet instant, j'ai compris à quel point le sexe est un acte merveilleux, si proche de la tendresse et du don de soi. J'étais infiniment reconnaissante envers Jinwaki de m'avoir fait découvrir cela.

Dans le train qui me ramenait à la maison, encore brûlante de ses caresses, j'ai branché mon iPod, écoutant en boucle *The Right Man*, de Christina Aguilera.

Je sais que Jinwaki est ce « *right man* ». C'est tout ce qui compte.

24

Jinwaki

J'observais avec une curiosité teintée d'appréhension le lent cheminement de la passion qui venait de naître entre Saya et moi. Pour ma part, c'était simple : je puisais dans la puissante inclination que je ressentais pour elle la force, sans doute même la raison, de survivre.

Après une période où j'avais vainement lutté contre l'exquise horreur de mon désir pour cette jeune fille à peine éclose, je me suis enivré au parfum de sa jeunesse. Elle m'apportait l'apaisement et la lumière en même temps qu'une exigence de dépassement qui m'obligeait à laisser mes autres problèmes sur le bord du chemin.

La communion de nos corps m'étonnait. Jamais je n'avais fait l'amour à une femme avec autant de fougue, de puissance, de verve, de liberté, débarrassé des fausses pudeurs, des interdits moraux et sociaux. J'ai sucé son ventre d'où sourdait sa pourpre menstruelle, je me suis enfoui au plus profond de ses entrailles, j'ai recueilli le jet brûlant de son urine au creux de mes paumes. Je lui ai fait découvrir toutes les vibrations qui traversent deux corps en fusion. Elle a enfin connu l'extase dans mes bras. Quand nous faisions l'amour, mon corps se liquéfiait, il se coulait sous sa peau au point de se dissoudre en elle.

Mais tout n'était pas sexe dans cette liaison. Il y avait aussi cette communion absolue de nos émotions lorsque nous étions assis dans une salle de concerts. Nous vibrions alors d'une sorte d'orgasme intellectuel simultané parfait à l'écoute d'un air particulièrement poignant.

Certains mercredis, nous avons pris l'habitude d'aller nous enfermer de longues heures au café West, en face du cimetière d'Aoyama. C'est un vieux bâtiment sur pilotis sous lequel se trouve un parking pour la clientèle. Il y a là une fabuleuse collection de CD de musique classique édités par une prestigieuse maison de disques possédant les droits sur l'intégralité des enregistrements du Philharmonique de Vienne depuis l'époque des 78-tours. Nous y avons écouté en sirotant des chocolats viennois le *Figaro* joué au Festival de Salzbourg en 1937 sous la direction de Bruno Walter, ou un enregistrement des *Concertos brandebourgeois* par l'Orchestre de Philadelphie, sous la baguette de Leopold Stokowski.

Un jour, oisif dans mon bureau, je suis allé surfer sur le site de cette maison de disques : on peut y passer directement commande de tous les CD édités à ce jour. On y trouve aussi une sélection de vinyles dont les prix n'ont d'égal que leur rareté. C'est la Rolls du disque de musique classique. J'en ai acheté quelques-uns pour les offrir à Saya, qui les a accueillis comme si je lui avais confié des joyaux d'une valeur inestimable.

Un autre mercredi, comme nous nous promenions dans Harajuku, nous sommes passés devant l'enseigne d'un fabricant d'instruments de musique. J'ai poussé la porte, entraînant Saya dans mon sillage. Elle m'avait dit qu'elle jouait du piano depuis sa plus tendre enfance. Je voulais l'écouter. Pour convaincre le vendeur de la laisser s'installer devant un grand piano à queue, j'ai prétendu être un père en quête de l'achat d'un instrument pour ma fille. Le vendeur nous a aussitôt guidés à l'étage supérieur. Là, Saya a fait quelques gammes, puis elle s'est mise à jouer la Sonate en *si* bémol majeur K282 de Mozart. Mozart paraît simple, terriblement simple, c'est là toute sa difficulté. Sous les trilles alambiquées de Liszt, on peut cacher une fausse note, mais avec Mozart le moindre écart est immédiatement perceptible. Il faut être un virtuose pour bien jouer ses pièces pour piano. Saya n'était pas loin de cette virtuosité-là.

Après Mozart, elle est passée à un tout autre répertoire en jouant successivement l'aria de la Suite n° 3 et la Cantate n° 147 de Bach. Elle a terminé sur une variante envoûtante du Canon de Pachelbel que je ne connaissais pas, sertissant les notes en trilles qui s'enchaînaient à m'en donner la chair de poule. Après avoir plaqué le dernier accord, elle s'est retournée vers moi.

« Pachelbel, bien sûr, m'a-t-elle dit. Mais ce sont des variations imaginées par le pianiste de jazz George Winston. »

Le responsable du magasin et plusieurs clients s'étaient approchés silencieusement et restaient immobiles, écoutant religieusement. Ils ont applaudi, brisant la bulle d'émotion dans laquelle le rythme lancinant du piano m'avait enfermé. Encore tout étourdi, j'ai suivi Saya dans la rue, où le fracas de la circulation a achevé de dissiper le charme de ce moment.

Nous sommes ensuite partis flâner dans le quartier de Kanda, où j'ai acheté chez un marchand de musique des partitions que j'ai payées avec ma carte de crédit. Il y en avait pour une jolie somme.

Cette affaire commençait à me coûter cher. J'ai dû trouver des solutions pour alimenter mes dépenses sans toucher à mon compte en banque. Je me suis donc résolu à rendre visite à un prêteur sur gages de Yokohama que j'avais repéré dans une ruelle sombre derrière le grand magasin. J'y ai apporté un de mes clubs de golf, un driver Callaway FT-*i*Q Tour calibré sur mesure que j'avais payé 92 000 yens. L'usurier avait la tête de l'emploi.

Je me suis approché du comptoir d'où il m'observait, le regard abrité derrière d'épaisses lunettes. Les lumières de la vitrine se reflétaient sur son visage, qui ressemblait à un masque de satyre. La boutique elle-même était sombre, seulement éclairée par un néon poussif qui grésillait en clignotant ; les étagères débordaient de montres en or qui indiquaient toutes une heure différente, ainsi que de sacs de diverses marques prestigieuses – j'en ai compté cinq en cuir exotique, du lézard, du crocodile ou encore de l'autruche, dans une vitrine fermée à clef. Malgré leurs couleurs pimpantes, ces sacs à main transpiraient la tristesse, orphelins des rêves et des désirs des femmes qui les avaient laissés derrière elles. Les prix affichés sur les étiquettes étaient de quinze à vingt pour cent moins cher que dans les boutiques officielles. J'ai eu envie de m'enfuir, mais l'usurier m'a adressé la parole, aussi mielleux qu'un employé des pompes funèbres.

« Que puis-je pour votre service ? »

J'ai brandi mon driver sous son nez. Il n'avait pas une rayure, sa tête en carbone était luisante comme une laque de Wajima*.

« Que me donneriez-vous pour cela ? lui ai-je demandé.

– Un club de golf ? Cela n'a aucune valeur ! Un Callaway dont la tête est calibrée à votre gabarit, par-dessus le marché ! Si encore vous m'aviez apporté un Dunlop Pro Gear, je ne dis pas, mais ça... »

Je comprenais qu'il se mette en position de force pour négocier, mais je n'ai pas aimé son ton méprisant. Après tout, j'étais un client, je pouvais m'attendre à être reçu avec courtoisie. C'était déjà suffisamment humiliant d'avoir recours aux services d'un tel commerce.

« Voulez-vous le déposer en gage ou le vendre ? a-t-il poursuivi.

– Je ne sais pas... Quelles sont vos conditions ?

– Soit vous mettez l'objet en dépôt, et je vous prête une somme correspondant à la valeur que je lui attribue, soit je vous l'achète. Bien entendu, la valeur d'achat est inférieure à celle du prêt. Par exemple, pour ce driver qui, encore une fois, ne présente qu'un intérêt limité, je peux vous prêter 45 000 yens ou vous le reprendre 25 000.

– À quelles conditions, le prêt ?

– Dix-huit pour cent.

– Dix-huit pour cent par an ? Mais c'est très exagéré ! »

Le type a remonté ses lunettes, qui avaient un peu glissé, émettant

* Région du Japon célèbre pour la pureté de ses laques.

un sifflement entre ses dents tout en me regardant avec un air de commisération.

« Par mois. Dix-huit pour cent par mois. Nous ne sommes pas une œuvre caritative ! Par ailleurs, si vous souhaitez emprunter, il y a des formalités à remplir... »

J'ai failli remballer mon club de golf mais, comme j'étais à quelques jours de mon licenciement, il me fallait être prudent avec mes dépenses. Les indemnités que l'entreprise allait me verser ne dureraient pas éternellement, surtout avec le remboursement du prêt pour l'achat de la maison. Si je ne retrouvais pas de travail dans l'année à venir, je serais peut-être obligé de la vendre, ce qui reviendrait à avouer à ma famille que j'avais été licencié, une humiliation que je ne pouvais me résoudre à envisager.

« Alors ? Que décidez-vous ? Vous empruntez ou vous vendez ?

– Je vends », ai-je marmonné en lui tendant le club.

J'ai empoché les 25 000 yens, honteux, puis j'ai quitté la boutique en enfonçant la tête dans mon imperméable de peur d'être reconnu par un collègue dans la rue.

« Revenez quand vous le désirez. Je serai toujours à votre disposition ! » m'a lancé l'usurier après les remerciements de circonstance.

J'ai failli sortir de ma poche le pendentif que j'avais offert autrefois à Kaori lorsque nous étions étudiants : je le lui avais subtilisé quelque temps auparavant, espérant en tirer une somme rondelette. Mais, curieusement, quelque chose m'en a empêché. J'avais beau ne plus me faire d'illusions sur mes rapports avec ma femme, ce bijou me rattachait à des temps plus heureux, où tout entre nous était encore possible. Je l'ai laissé là où il était et suis sorti de la boutique.

Dans le train, en regardant passer les lumières de la ville d'où la vitesse semblait avoir happé toute vie, je savais déjà que je devrais de nouveau faire appel à ses services. J'ai commencé à dresser la liste des objets que je devrais lui apporter dans les semaines suivantes. Elle était relativement courte : rien à la maison n'avait assez de valeur pour couvrir les dépenses que j'envisageais pour Saya. Le fruit de la vente du driver Callaway était déjà alloué à l'achat de deux billets au Suntory Hall pour aller écouter le Philharmonique d'Oslo jouer les Symphonies n°7 et n°8 de Dvorak, moins connues que la *Symphonie du Nouveau Monde* mais à mon avis plus majestueuses. Je devais me dépêcher de réserver les places.

25

Saya

C'est Aramance qui m'a donné le tuyau. Aramance est moitié japonaise par son père, moitié suédoise par sa mère, dont elle a hérité ses yeux bleus et ses cheveux blonds presque blancs. Elle n'a donc pas besoin de sacrifier à la mode du coloring ni à celle des lentilles de couleur. Elle est presque aussi grande que moi. Elle ne tient de son père que sa peau mate et ses yeux en amande. C'est un mélange étrange et superbe. Elle ressemble à une héroïne de manga. Les gens se retournent sur son passage. Nos vies respectives sont diamétralement opposées.

L'année dernière, par exemple, elle a fait un truc vraiment extraordinaire. Elle a piqué dans le coffre-fort de sa grand-mère, chez laquelle elle était pour les vacances, une somme d'argent qui dépasse l'imagination : 25 millions de yens ! Elle est allée s'acheter des montres, des bijoux, des sacs, des vêtements dans les boutiques de luxe de Tokyo. En temps normal, jamais une vendeuse n'aurait accepté de laisser une ado s'acheter des objets aussi coûteux, mais Aramance est très maligne : elle avait sur elle un certificat de sa mère l'autorisant à faire ces achats. Bien sûr, le document était un faux.

Sa grand-mère, qui doit être un peu gâteuse, a mis pas mal de temps avant de se rendre compte du vol, mais elle a fini par comprendre que sa petite-fille était coupable. « Ce n'est pas grave, a déclaré Aramance, elle est tellement riche ! » Par ailleurs, elle m'a dit que cela rachetait toutes les années où elle l'avait vue tourmenter sa mère simplement parce qu'elle n'avait jamais pardonné à son fils d'épouser une étrangère. À mon avis, Aramance fait erreur : toutes les belles-mères ont tendance à se comporter comme des harpies avec leurs brus, que celle-ci soit une étrangère ou une Japonaise importe peu. Bref, Aramance est une rebelle. Les conventions et les règles de la société lui pèsent, aussi passe-t-elle son temps à les transgresser. Elle a donné tellement de fil à retordre aux professeurs du lycée qu'ils ont fini par exiger son renvoi. Depuis, elle passe ses journées à traîner dans le quartier de Harajuku ; le soir, elle fait les bars de Roppongi, où elle drague les étrangers de passage. En tout cas, c'est ce qu'elle raconte. Sa vie est tellement extravagante… je me demande si elle n'affabule pas. Mais, à bien y penser, la réalité est souvent plus incroyable qu'on ne l'imagine. Par exemple, si les gens de mon entourage savaient avec qui je sors et comment j'ai gagné mon argent de poche ces derniers temps, ils tomberaient des nues. Je trompe bien mon monde avec mon air modeste et réservé.

C'est Aramance qui m'a donné l'idée de remédier à un problème qui me tracasse depuis que je sors avec Jinwaki : il m'a en effet avoué combien il aurait aimé que je sois vierge quand il m'a rencontrée. J'ai d'abord eu un peu de mal à comprendre ce qui le dérange tant dans le fait que j'aie pu avoir une vie sexuelle avant lui. Mais à présent je veux lui donner quelque chose qui, comme ma virginité, soit unique et indélébile.

Un jour, Aramance est venue me chercher à la sortie du lycée et m'a invitée à l'accompagner dans un établissement de bains publics, derrière la gare de Mejiro où elle habite. La connaissant, j'ai eu un mouvement de recul, car j'ai cru qu'elle allait m'entraîner dans quelque endroit peu recommandable.

« Mais non ! Ce sont de véritables bains publics comme il y en avait plein autrefois ! D'ailleurs, ils vont sans doute disparaître, comme tout ce qui est encore authentique au Japon… J'y vais de temps à autre avec ma mère. Elle adore. Ça lui rappelle la Suède. Tu vas voir, c'est très dépaysant, et c'est en plein centre-ville ! »

Nous nous sommes donc rendues de la gare d'Iidabashi à Mejiro en changeant à Shinjuku. Au bout d'une ruelle se trouvait l'établissement de bains publics tel qu'Aramance me l'avait décrit. Nous sommes entrées par le porche réservé aux femmes en passant sous une enseigne en étoffe de couleur rouille après avoir laissé nos chaussures dans les petits casiers de consigne en bois prévus à cet effet. Aramance a payé la préposée qui était installée sur une estrade d'où elle pouvait surveiller les deux vestiaires, celui des hommes et celui des femmes. Ils étaient séparés par une cloison de casiers remplis de paniers dans lesquels on déposait ses vêtements. Elle lui a également acheté deux serviettes pliées dans un sac en plastique.

Il y avait déjà quelques femmes avec des enfants en bas âge en train de se dévêtir. On entendait aussi des voix d'hommes qui résonnaient à travers la cloison.

J'ai regardé autour de moi avec curiosité. Sur les murs passés à la chaux étaient fixés des ventilateurs qui dissipaient mollement l'humidité. Il y avait également des miroirs sur le coin supérieur desquels étaient imprimés des publicités pour le chocolat Meiji ou l'orgueilleux coq des anti-moustiques Kinchoru. Des lampadaires de couleur verte diffusaient une lumière tamisée. Des femmes sortaient du bain et passaient dans le vestiaire dans un nuage de vapeur. Tout était vieux mais très propre. J'avais l'impression d'avoir été transportée comme par magie à l'ère de Tokugawa *.

Aramance avait commencé à se déshabiller. Je n'ai pas trop l'habitude de me dénuder en public, mais son naturel m'a entraînée. J'ai retiré mes chaussettes blanches, sentant sous mes pieds nus les nattes de paille tressée qui recouvraient le sol. J'ai trouvé cela agréable. J'ai fait tomber ma jupe et j'ai déboutonné mon chemisier, puis je les ai pliés dans le panier posé devant moi. Quand j'ai ôté mon soutien-gorge, Aramance a sifflé comme un garçon mal élevé, puis elle s'est retournée pour se dévêtir à son tour.

* Période féodale s'étendant du début du dix-septième siècle à la moitié du dix-neuvième, pendant laquelle le Japon est resté totalement fermé à l'étranger.

C'est alors que j'ai vu le tatouage sur son omoplate gauche. Il était aussi gros qu'une galette de senbei *. Il représentait un ange agenouillé, les jambes serrées, ses vastes ailes de plume déployées, les mains enfouies dans le visage. Sa longue chevelure lui recouvrait les épaules. Il était d'une couleur bleu foncé, presque noire. Le trait était d'une grande délicatesse.

« Qu'est-ce que c'est ? » lui ai-je demandé.

Aramance m'a regardée par-dessus son épaule.

« Une angelle, a-t-elle répondu.

– Une quoi ?

– Une angelle. Un ange féminin, si tu préfères. C'est un tatouage qui appartient à la catégorie *fantaisie et biomécanique*.

– Biomécanique ? Quel charabia ! »

Elle a haussé les épaules. Le tatouage a semblé prendre vie sur sa peau.

« C'est le nom exact, et aussi la catégorie la plus répandue chez les filles. Souvent, ce sont des feuilles d'acanthe stylisées dans le bas du dos, pour qu'on puisse voir le tatouage quand on porte un jean taille basse. »

Aramance s'est retournée vers moi, les mains sur les hanches. Sa toison était extraordinairement fine et claire. Elle a pris les serviettes qu'elle venait d'acheter, m'en a tendu une, puis nous nous sommes dirigées vers la grande salle des bains.

Tout le temps qu'ont duré nos ablutions, j'ai pensé au tatouage que je voyais flotter et s'animer à la surface de l'eau comme s'il s'était détaché de la peau d'Aramance, vivant sa propre vie tandis que mon amie se prélassait et que je restais assise sur la margelle.

Lorsque nous sommes retournées dans le vestiaire, j'ai prétexté d'essuyer le dos fumant d'Aramance pour regarder de plus près le motif de son tatouage. Il était parfaitement intégré à la texture de sa peau. Les lignes étaient nettes et sans bavures.

« Ça fait mal ?

* Galette de riz.

– Pas plus qu'une piqûre de vaccin, sauf qu'elle se répète des centaines de fois par minute ! Après, cela démange un moment, à cause de l'inflammation.

– Et combien ça coûte ?

– Cela dépend de la taille et de l'emplacement. Celui-ci n'est pas très gros : le tatoueur n'a mis qu'une demi-heure pour le réaliser. J'en ai eu pour 50 000 yens.

– Est-ce qu'on peut l'effacer ?

– Mais non, bécasse ! C'est indélébile, et c'est précisément ce qui en fait l'intérêt. Il n'y a que les mauviettes pour mettre des décalcomanies ! Tu ne serais pas tentée, par hasard ? »

Je n'ai pas répondu à Aramance, mais l'idée a cheminé en moi toute la soirée qui a suivi. Je me suis couchée, incapable de m'endormir, tellement cela m'excitait.

J'avais trouvé ce que j'allais offrir à Jinwaki pour lui prouver mon attachement inaltérable.

À ma demande, Aramance m'a accompagnée quelques jours plus tard chez son tatoueur. Située au nord de la gare d'Ikebukuro, au-delà de l'université Rikkyo, l'officine était cachée au fond d'une ruelle mal éclairée. Nous avons dépassé une rangée d'échoppes où l'on devinait au travers des vitres dépolies un monde de silhouettes diffuses nimbé d'un halo de lumière bleue. Araignées, dragons, serpents, scorpions, phœnix, hippocampes, papillons, tigres et chatons Hello Kitty se côtoyaient en un bestiaire étrange. Un peu plus loin, nous nous sommes glissées dans un espace entre deux immeubles éclairé par l'ampoule crasseuse d'un lampadaire. Le sol était jonché de détritus divers. Je ne suis pas bégueule, mais j'ai frissonné de dégoût, me demandant si Aramance, dont je connaissais l'inclination pour le trash et les ambiances malsaines, ne m'entraînait pas dans un lieu mal famé. Nous avons finalement atteint une petite porte basse. Aramance l'a poussée. Derrière se trouvait un étroit escalier. Nous l'avons emprunté jusqu'à une pièce de huit tatamis éclairée d'une ampoule nue. Au centre se trouvait un épais matelas sur lequel étaient pliés des draps et des serviettes-éponges d'où s'échappait une odeur de détergent. Au fond de la pièce, il y avait une fenêtre en verre dépoli. Je l'ai ouverte. Elle donnait sur des toits de tuiles grises. La rumeur lointaine de la ville est montée jusqu'à nous. À l'horizon, une haute tour de verre se dressait dans le crépuscule. Aramance a pris son téléphone portable pour annoncer au tatoueur que nous étions là.

« Il arrive dans cinq minutes », m'a-t-elle dit.

Elle s'est assise sur un coussin qui traînait sur le tatami et s'est mise à consulter sa messagerie sans plus s'occuper de moi. J'en ai profité pour regarder autour de moi. Les murs étaient tapissés de photos de corps tatoués. Il y avait aussi un stérilisateur posé sur une table basse, ainsi qu'un curieux appareil dont la fonction m'échappait.

« Qu'est-ce que c'est ? ai-je demandé à Aramance.

– Un dermographe. C'est avec ça qu'on réalise un tatouage. Relax, ma belle ! Ce n'est pas le bout du monde ! Tiens, a-t-elle ajouté en me tendant un paquet de chewing-gums, si cela te fait trop mal, tu n'auras qu'à serrer les dents bien fort ! »

Je me suis plantée devant le mur de photos pour examiner les tatouages. Ils étaient classés par thèmes.

« Tu es en train d'hésiter sur le motif que tu vas faire imprimer ? » m'a demandé Aramance avec une pointe d'ironie dans la voix.

Sans me retourner, je lui ai répondu que j'avais déjà choisi ce que je voulais avant de venir. Elle n'a pas insisté. Une image m'a particulièrement frappée : il s'agissait d'une femme. Sur toute la surface de son dos était dessinée une courtisane au kimono richement coloré. Elle tenait dans sa main délicate un stylet effilé au manche sculpté. Un dragon aux écailles innombrables l'enlaçait. J'étais fascinée par la minutie de ce travail.

« Divinité de la richesse Benzaiten, œuvre réalisée par Maître Horitoshi I. Il a fallu cinq ans pour réaliser ce tatouage. Plus personne ne maîtrise un tel degré de raffinement », a prononcé une voix masculine derrière moi.

Je me suis retournée. Le maître des lieux se tenait agenouillé au seuil de la pièce, vêtu d'un costume traditionnel en lin indigo qui laissait voir un torse entièrement tatoué. Son crâne était rasé de frais.

« C'est magnifique, ai-je murmuré.

– Avez-vous une idée du motif que vous souhaitez que je réalise et de l'endroit de votre corps sur lequel vous voulez qu'il soit imprimé ? Je vous préviens, je refuse les tatouages offensifs, de nature sexuelle ou sado-masochiste sur les femmes. Fleurs, animaux domestiques ou insectes sympathiques tels que libellules, papillons ou coccinelles, personnages de bandes dessinées non violentes, inspiration fantaisie et biomécanique, certains symboles romantiques, mais c'est tout !

– J'ai choisi un motif que vous n'avez probablement pas dans votre palette, ai-je dit en m'agenouillant à mon tour sur le tatami. Pourriez-vous reproduire ceci ? »

Je lui ai tendu une feuille de papier que je venais de tirer de mon sac, sur laquelle j'avais photocopié en couleurs le dessin que je voulais me faire tatouer. Il l'a regardée un instant puis il me l'a rendue.

« À l'identique, avec les mêmes couleurs ? Pas de problème. C'est original ! Je n'ai jamais vu ce personnage ! Qui est-ce ?

– Un héros de bande dessinée française. J'aimerais que vous imprimiez dessous la date que j'ai ajoutée au stylo. »

Aramance s'est approchée et a jeté un coup d'œil sur la feuille.

« Il est marrant ton petit bonhomme ! Il est drôlement habillé ! Son casque ressemble un peu à celui d'une armure de samouraï !

– Sur quelle partie de votre corps voulez-vous le tatouer et dans quel format ? m'a demandé le tatoueur.

– Un peu en dessous de l'omoplate droite et pas trop gros, cinq centimètres, pour que cela ne soit pas trop visible. Je suis encore au lycée.

– Cela, je l'avais compris, a-t-il grommelé. Vous savez qu'en principe je n'ai pas le droit ? Je n'accepte de le faire qu'au compte-gouttes, sinon vous iriez vous faire charcuter chez des charlatans. Comme il y a un risque, c'est un peu plus cher.

– Je sais ! ai-je opiné. Combien me prendrez-vous ?

– 58 000 yens. Vous êtes sûre de ce que vous faites ? Vous pouvez encore vous raviser, mais après ce sera trop tard ! »

Je l'ai assuré de ma détermination et j'ai sorti 60 000 yens d'une enveloppe, un reliquat d'argent qui provenait de ma dernière soirée avec le médecin légiste. Je les ai tendus au tatoueur. Il m'a rendu la monnaie. Il a étalé une serviette-éponge sur le matelas, posé dessus un oreiller et un miroir à main.

« Le miroir, c'est afin que vous puissiez voir le dessin au fur et à mesure que je le réalise. Vous n'êtes pas trop douillette ? Rassurez-vous, c'est moins douloureux qu'on le prétend. Installez-vous pendant que je me prépare. Votre copine peut rester, si vous le désirez. »

Il a disparu un moment. Je me suis dévêtue et me suis allongée, tournée vers Aramance qui pianotait sur son portable.

« C'est quoi, la date sous le petit bonhomme ? a-t-elle demandé sans lever les yeux de son écran.

– Une rencontre importante.

– Importante pour combien de temps ?

– Tu ne crois pas au destin ? »

Elle a ricané.

« Il a bon dos, le destin ! Moi, mon destin, je le rencontre tous les soirs dans les bars de Roppongi et il s'évanouit le matin quand je me réveille et que je vois ronfler à côté de moi le mec qu'il m'a fourré dans les pattes ! »

Le retour du tatoueur a interrompu notre conversation. De toute façon, je n'avais pas envie d'affronter le cynisme d'Aramance. Moi, je savais que j'avais rencontré mon destin avec Jinwaki, même si cela semblait sans issue raisonnable.

Le tatoueur a désinfecté ma peau juste en dessous de mon omoplate, puis il l'a humectée d'eau avant d'y presser la décalcomanie. Il a ensuite appliqué une crème fluide et froide.

« C'est pour que les pigments pénètrent mieux, a-t-il expliqué d'un ton clinique. Nous pouvons y aller… Respirez bien à fond ! »

Il a ensuite posé sa main gauche sur mon dos et a commencé à travailler avec le dermographe. J'ai sursauté en sentant l'aiguille pénétrer mon épiderme. Comme preuve d'attachement, cela méritait tous les hymens du monde ! J'ai fermé les yeux en me concentrant sur la douleur qui irradiait à présent dans mon épaule tout en pensant au tatouage de Maître Horitoshi. Je me suis dit que si la femme sur la photo avait fait cela pour l'homme qu'elle aimait, cet homme avait eu bien de la chance.

26

Jinwaki

Le jour de mon départ de l'entreprise était arrivé.

Quand j'ai quitté la maison ce matin-là, le temps était printanier. Dans notre jardin, le massif de daphnés diffusait une odeur sensuelle et sucrée. Derrière la gare de Kita Kamakura, les cerisiers étaient en fleurs, des myriades de pétales jonchaient les trottoirs. J'ai pris le train, encore peu encombré à cette heure. J'ai posé ma serviette puis j'ai consulté mes messages sur mon portable. Saya m'en avait déjà envoyé trois depuis que j'avais ouvert ma boîte la veille au soir. Elle avait rédigé le premier au milieu de la nuit. Elle m'écrivait que, ne pouvant s'endormir, elle avait enfoui son nez dans un coussin aspergé de mon parfum. Dans le suivant, elle m'avouait s'être caressée en sortant de la douche en pensant à notre prochain moment d'intimité. Dans le dernier, enfin, elle me souhaitait une bonne journée de travail. J'ai souri à l'ironie innocente de cet encouragement le jour précis où je perdais mon emploi.

Arrivé à Yokohama, au lieu de plonger dans les entrailles de la gare pour me rendre au grand magasin, j'ai décidé de faire un détour par l'esplanade qui longe la baie. J'ai croisé quelques joggeurs et des personnes âgées qui promenaient leur chien. Un remorqueur croisait au loin vers Bay Bridge.

Ayant mis un point d'honneur à être impeccable pour ma dernière journée, j'avais revêtu mon plus beau costume, un trois-pièces en laine et soie qui m'avait coûté une fortune. J'avais accroché mon badge à ma boutonnière ; avec le relâchement général, de moins en moins d'employés songeaient à le porter. Au grand magasin, j'ai tué le temps en circulant dans les rayons de mon étage, saluant quelques collaborateurs et des vendeuses avec lesquels j'avais développé de bonnes relations de travail. Tous ont fait mine d'ignorer que c'était la dernière fois que je faisais ma tournée. Je me suis ensuite rendu dans mon ancien bureau pour rencontrer mon successeur, mais il était absent. J'en ai profité pour m'asseoir. Je ne sais trop combien de temps je suis resté ainsi à rêvasser, fumant cigarette sur cigarette. Quand je me suis finalement décidé à sortir, je suis tombé sur Yuri, qui faisait les cent pas devant la porte. Elle a jeté un rapide regard circulaire et m'a attiré dans un réduit, au fond du couloir.

« Le nouveau, celui qui vous remplace, on raconte déjà un tas d'horreurs sur lui. Il paraît que c'est un trouillard. Il n'est pas venu pour ne pas avoir à faire un discours en votre honneur.

– Que veux-tu, c'est dans l'ordre des choses. Je peux comprendre qu'il ne souhaite pas être ici aujourd'hui. »

Elle a fait une moue dubitative. Yuri était trop intelligente pour ne pas comprendre la subtilité de ce jeu cruel, surtout avec l'atmosphère délétère qui régnait à ce moment-là.

« Tu continueras à venir me voir au Post Office ? ai-je demandé pour changer de sujet.

– Si vous me donnez rendez-vous ! Je n'ai pas eu le plaisir de vous voir ces derniers mois. J'ai le sentiment que vous m'évitez...

– Désolé, Yuri, mais avec tout ce qui vient de me tomber sur la tête, mon licenciement, le décès brutal de ma mère, tout un tas de choses préoccupantes qui ont encombré mon esprit... je ne voulais pas t'imposer mon humeur morose.

– Je vous attendrai », a-t-elle simplement répliqué.

Puis nous sommes partis chacun de notre côté.

Au moment où je quittais mon étage pour toujours, quelques employés sont venus me saluer, une jeune fille embarrassée m'a tendu un petit bouquet de tulipes blanches au nom du personnel.

« Pour que cela vous porte chance ! C'est de notre part à tous », a-t-elle murmuré en me tendant le bouquet.

Très embarrassé, je suis parti sans me retourner après avoir adressé un salut un peu trop sec et bafouillé :

« Je vous remercie. Vous pouvez regagner vos postes ! »

Je me suis débarrassé du bouquet dans la poubelle du couloir menant à la section du personnel : je ne me voyais pas débarquer ainsi à cet étage. Le directeur des ressources humaines, un petit bonhomme chauve, m'a fait entrer dans un bureau qui ressemblait à un débarras encombré de chaises et de piles de dossiers. Il a posé un paquet de documents par terre pour me faire un peu de place sur le bureau, puis il m'a tendu une enveloppe à mon nom. Je devais lire la lettre à l'intérieur avant de la signer. Il m'a laissé un moment seul face à mon arrêt de mort administratif. Qu'adviendrait-il si je refusais d'apposer ma signature au bas de cette paperasse ? Ma docilité faisait partie de mon éducation. J'ai sorti mon sceau, j'ai ouvert la boîte de pâte rouge que le directeur du personnel avait posée sur l'enveloppe et j'ai tamponné chaque page sans même regarder de quoi il s'agissait.

Dix minutes plus tard, le directeur du personnel était de retour. J'avais allumé une cigarette. Il s'est assis en face de moi.

« Vous n'êtes pas supposé fumer dans cet endroit, a-t-il grincé en feuilletant les documents.

– Eh bien, je serais le dernier à l'avoir fait », ai-je répondu.

Il n'a pas relevé. Après avoir terminé sa vérification, il m'a soumis une liste des choses qu'il me fallait restituer. J'ai sorti de mes poches ma carte d'employé, les sceaux officiels mentionnant mon titre, le brassard jaune de sécurité, la plaquette de plastique à mon nom. Pour finir, j'ai ôté le badge de ma boutonnière.

« Je suppose que je dois également vous le rendre ? ai-je dit. Il n'est pas sur la liste.

– Non, vous pouvez le garder en souvenir. Mais n'oubliez pas que vous n'avez plus le droit de le porter à partir de ce soir.

– En souvenir ! » ai-je ricané.

J'ai jeté le badge, qui a fait le bruit d'une douille éjectée, sur la surface métallique du bureau et je suis parti sans saluer ni me retourner.

Dès le lendemain, j'ai décidé de me mettre à la recherche d'un nouvel emploi. Entre le moment où mon supérieur hiérarchique m'avait annoncé mon licenciement et mon départ de l'entreprise, il s'était écoulé cinq longs mois. Il était plus que temps de me secouer, c'était une question de survie, pour moi mais aussi pour ma famille. J'ai d'abord contacté un ou deux chasseurs de têtes dont j'ai trouvé l'adresse sur Internet. Aucun ne m'a rappelé après la série d'entretiens préliminaires auxquels je me suis pourtant plié. J'avais eu le plus grand mal à rédiger un CV qui tienne la route. Plus de vingt années au service d'une seule et même entreprise à suivre l'autoroute d'une carrière formatée avaient fait de moi un être dépourvu d'identité, une silhouette interchangeable dans le terne costume de la médiocrité, un clone de mes aînés et de mes pairs. J'ai bien tenté de souligner ma différence, mon séjour à l'étranger, ma maîtrise de la langue française, mais cela n'a pas servi à grand-chose. « Vous devriez vous mettre au chinois. C'est une langue d'avenir ! » m'a lancé l'un des chasseurs de têtes à la fin de notre entretien.

J'ai également réfléchi à la possibilité de me mettre à mon compte, suivant l'exemple du patron du Sombrero, sauf que je n'étais un spécialiste en rien. Je n'allais tout de même pas ouvrir une boutique de fringues au fond d'une rue sombre dans laquelle se battraient en duel deux sacs de marque, trois accessoires de mode et quelques fripes…

J'ai fini par tenter ma chance au bureau de l'Association des grands magasins, à Nihonbashi, où j'ai quelques copains. Ils m'ont offert un thé et m'ont laissé entendre, avec tact, qu'ils avaient d'autres chats à fouetter : avec tous les laissés-pour-compte des restructurations en cours, on aurait facilement pu remplir tous les postes nécessaires pour gérer un grand magasin de quatre-vingt mille mètres carrés.

Dans un autre registre, j'ai été obligé d'annoncer à ma banque ma situation. Le responsable de l'agence, un type pourtant affable et courtois, m'a regardé avec condescendance.

« Monsieur Jinwaki, c'est une situation préoccupante. Bien entendu, nous ferons tout ce qui est possible pour vous aider, mais nous allons devoir diminuer l'encours de votre carte de crédit et limiter le montant de vos retraits aux distributeurs. Vous allez sans doute toucher des indemnités de départ et votre retraite anticipée. Il faudra les déposer sur un compte bloqué jusqu'à ce que vous retrouviez un emploi. Avec votre aimable consentement, nous serons dans l'obligation d'y ponctionner les mensualités de votre prêt immobilier. »

En sortant de ma banque, j'ai sérieusement envisagé de mettre fin à mes jours. Au-delà du fait que j'allais très rapidement être acculé financièrement, je ne me voyais pas supporter l'humiliation d'être mis au ban de la société.

Je l'aurais probablement fait s'il n'y n'avait pas eu Saya.

Les jours suivants, j'ai erré, désœuvré, le plus loin possible de Yokohama, où je risquais de croiser d'anciens collègues ou des clientes de ma connaissance. Je ne pouvais toujours pas me résoudre à annoncer ma situation à ma famille, aussi je prenais le train le matin à mon heure habituelle mais je ne descendais pas à Yokohama et je poursuivais jusqu'à Shinbashi. De là, je marchais pendant des heures, ma sacoche vide à l'épaule, pianotant des messages destinés à Saya, qui me répondait aux heures d'interclasses, dans l'attente des moments où elle pouvait se libérer pour nos rendez-vous à Shibuya ou nos soirées au concert.

Il a bien fallu que je trouve un abri les jours de pluie. J'ai repéré un cybercafé derrière la gare d'Ueno où il est hélas interdit de fumer mais qui met à disposition des isoloirs de la taille d'un tatami équipés d'un siège inclinable et d'une table de travail étroite. Ce ne sont pas des pièces à proprement parler, plutôt des cabines dont les parois font environ deux mètres de haut, isolées par une porte, avec un éclairage individuel modulable. Quand on éteint, on se retrouve dans une pénombre reposante.

La location peut se faire à l'heure ou à la journée et ne coûte pas cher. La clientèle est hétéroclite, à dominante masculine : surtout des étudiants, mais il y a aussi des hommes de mon âge en costume-cravate qui rasent les murs, tête baissée. Des chômeurs qui comme moi tuent le temps en attendant l'heure de rentrer chez eux.

Certaines cabines semblent être habitées en permanence, encombrées de cartons sous la table et de couvertures posées à même le sol, de bouilloires électriques… Parfois même, on y voit des photos de famille punaisées aux murs. Au moins, on s'y sent à l'abri des vicissitudes de la vie. J'ai fini par y venir de plus en plus souvent, y apportant un livre, une boîte de bento et une canette de café achetées au Seven Eleven un peu plus bas dans la rue.

Les semaines ont passé sans que je me rende compte de la vitesse à laquelle elles s'égrenaient.

27

Saya

Le site Internet que j'avais consulté avant de me rendre chez le tatoueur d'Aramance prévenait bien: «La marque tégumentaire est une opération pénible suivie d'une réaction inflammatoire qui peut durer plusieurs jours.»

Je suis dure à la douleur. J'ai souffert de terribles maux de tête toute mon enfance jusqu'à ce qu'on m'opère. La pose du tatouage sur mon épaule n'a certes pas été une partie de plaisir, mais je l'ai supportée vaillamment. Le tatoueur m'a dit qu'il avait rarement vu un tel stoïcisme chez une jeune fille. Quant à Aramance, elle a poussé des cris pendant toute la séance, comme si elle était à ma place.

J'ai enduré les brûlures des aiguilles parce que je me concentrais sur l'image de Jinwaki, repensant à tous ces moments passés à ses côtés aux concerts. J'ai chanté en silence tous les arias des opéras de Mozart auxquels nous avons assisté ensemble. J'ai très bonne mémoire. Depuis quelques semaines je prends des cours de chant avec une personne que m'a présentée mon professeur de piano. Mes parents sont ravis que je me consacre autant à la musique plutôt que de rester clouée devant un écran de télévision ou de jouer à des jeux abrutissants sur une console. À un moment, je me suis mise à fredonner l'air de la Reine de la nuit. Le tatoueur a cru que je gémissais de douleur.

«Si vous avez trop mal, je peux arrêter un moment.

– Non, non. Je chante un peu, c'est tout», ai-je répondu en secouant la tête.

Le bourdonnement du dermographe a repris.

Quand le tatoueur a terminé son travail, il m'a invitée à m'asseoir. Je me suis relevée en couvrant ma poitrine de la serviette qu'il m'avait tendue. La douleur, qui jusque-là était restée confinée aux quelques centimètres carrés de peau sur lesquels le dessin était imprimé, a irradié dans l'épaule entière. J'ai eu un étourdissement qui m'a fait chanceler. Le tatoueur m'a servi un verre d'eau ; au bout d'un moment, j'ai pu me lever, le dos tourné vers le petit miroir qu'il me tendait. Mon petit bonhomme espiègle était bien là. Malgré la rougeur de ma peau, j'ai admiré la finesse du trait et la perfection des aplats de couleur.

Le tatoueur s'est approché et a délicatement appliqué un film transparent sur ma peau.

« Gardez ce pansement quelques heures, ensuite, vous pourrez le retirer. L'inflammation ne devrait pas durer très longtemps. Si elle persiste plus de deux ou trois jours, passez me voir, je vous donnerai une pommade apaisante. Pour le moment, il ne faut rien mettre dessus, et surtout pas de corps gras, qui risquerait de faire suinter les pigments. Il faut attendre que les pores se resserrent. Évitez aussi de mouiller votre épaule quand vous faites votre toilette. »

Aramance m'a aidée à me rhabiller.

Le tatoueur s'était retiré au fond de la pièce et s'affairait à ranger ses instruments dans le meuble laqué. Il avait branché le stérilisateur, qui ronronnait paisiblement. Il est revenu vers moi et m'a tendu un carnet et un stylo-bille.

« Avec votre permission, je vais ajouter ce petit bonhomme amusant à ma panoplie ! Pouvez-vous noter son nom pour moi ? Cela me donne l'idée d'aller piocher dans les BD étrangères pour renouveler mon stock ! »

J'ai noté le nom sur le carnet puis il m'a tendu sa carte et nous sommes parties après l'avoir salué. Dehors, il faisait nuit noire. Nous sommes revenues vers la gare d'Ikebukuro, le tumulte, les lumières et l'agitation de la ville. Les étudiants de l'université

Rikkyo venaient de quitter le campus, ils bavardaient gaiement dans les rues. Nous nous sommes arrêtées devant une échoppe près de la gare et avons commandé chacune un bol de nouilles. Si je devais repartir un jour à l'étranger avec ma famille, ce serait sans doute ce qui me manquerait le plus : les nouilles de sarrasin brûlantes qu'on déguste debout devant un comptoir. L'estomac plein, nous nous sommes quittées en nous promettant de nous revoir très vite.

Dans le train du retour, mon téléphone portable a bourdonné. C'était un message de Jinwaki. Il m'annonçait qu'il avait fait les réservations pour une escapade en amoureux dont il m'avait parlé quelques jours auparavant. La destination était une surprise. À la fin de son message, il y avait un petit cœur animé. J'ai répondu, lui confirmant que j'avais obtenu l'accord de mes parents pour quarante-huit heures. J'étais parvenue à convaincre ma mère en lui faisant croire que j'étais invitée à Nara par une copine du lycée.

J'ai sauvegardé le message de Jinwaki, comme tous ceux qu'il m'envoie – un véritable roman certains jours. La mémoire de mon portable est remplie de ses SMS. Il y a ceux au ton protocolaire confirmant la date et le lieu d'un rendez-vous ou me proposant une sélection de concerts parmi lesquels choisir celui auquel je souhaite me rendre, les romantiques, où il dévoile ses sentiments, la tension qui l'habite quand il est face à moi, ses déclarations enflammées qui me chavirent, les SMS plus coquins, enfin, dans lesquels il décrit avec force détails les sensations qui le traversent quand il me fait l'amour, et qui m'excitent au plus haut point. Il m'en a tellement envoyé que je suis obligée de les transférer sur une clef USB protégée par un mot de passe où je les conserve. Je ne les ai pas comptés depuis un moment, mais il doit y en avoir plus de mille dans la clef et sans doute près de cinq cents autres dans mon portable.

Ces messages sont pour moi l'incarnation même de notre relation. Celle-ci est si improbable, si fusionnelle, qu'elle me semble parfois irréelle. J'ai l'impression d'être née pour Jinwaki, et, de son côté, c'est un peu la même chose : il a le sentiment d'avoir enfin atteint son but en me rencontrant, comme un navire rentré au port après une longue errance.

Ces derniers temps, tout ce qui me permet de sentir sa présence s'est mis à revêtir une importance capitale. Par exemple, je garde dans mon sac un mouchoir lui ayant appartenu : je le lui ai subtilisé un soir, après que nous avions fait l'amour. Je le tiens fermé dans un sac en plastique que je n'ouvre qu'une fois par jour pour humer le parfum de Jinwaki. J'ai fini par découvrir le nom de celui-ci. J'ai visé d'emblée les marques françaises, ce qui a considérablement rétréci mon champ d'investigation. Un après-midi, je me suis rendue dans un grand magasin de Shibuya. J'ai trouvé ce que je cherchais au point de vente de la marque la plus connue et la plus prestigieuse de toutes. J'ai acheté un flacon d'eau de toilette dans un emballage chic. Cela m'a coûté 9 500 yens. Dans ma chambre, j'en vaporise une ou deux fois par semaine sur mon vieux Snoopy ainsi que sur mon oreiller : le soir quand je m'endors j'ai l'impression d'être dans les bras de Jinwaki.

Avant de partir pour mes deux jours d'escapade avec lui, je me suis rendue à Electric City, dans le quartier d'Akihabara, pour lui acheter un cadeau que je comptais lui offrir, un lecteur MP3 et des écouteurs de bonne qualité. J'y ai transféré les CD de tous les concertos, sonates, opéras, symphonies et autres pièces que nous avons vus jouer ensemble et dont je possède la liste exhaustive dans une annexe de mon Journal électronique que je rédige en ce moment même sur mon ordinateur. Malgré la somme impressionnante des heures d'enregistrement que cela représente, il reste pas mal de mémoire disponible. Tant mieux. Je pourrai mettre à jour le MP3 avec les nouveaux programmes que nous irons écouter.

Je pense que mon cadeau va lui plaire et aussi le toucher. J'attends avec impatience la date de notre voyage. Je ne sais pas où il m'emmène. Il n'a pas voulu me le dire. Peut-être dans la ville de son enfance, Kanazawa. Je serais bien heureuse d'y aller et de parcourir les rues que j'imagine imprégnées de la mémoire de

Jinwaki ! Pendant deux jours, je vais être avec lui, respirer le même air que lui, marcher au rythme de ses pas, écouter ses silences, me réchauffer contre lui, pour la première fois m'endormir et me réveiller dans ses bras. Ma joie est presque insoutenable. Ce que je m'apprête à vivre avec lui sera sans doute unique. Cela m'effraie et m'enchante à la fois.

28

Jinwaki

Nous sommes arrivés à Kyoto en fin d'après-midi.

J'aurais aimé emmener Saya à Kanazawa, lui faire visiter les lieux de mon enfance, mon école, le pont que je traversais chaque jour pour m'y rendre, la rue commerçante où se trouvait autrefois le magasin de ma famille, l'emplacement de notre maison, où se dresse désormais un petit immeuble de rapport assez hideux. Je n'y suis jamais retourné, mais je savais qu'avec Saya à mes côtés j'aurais le courage d'affronter ce lieu hanté par ma jeunesse. Mais je ne pouvais me rendre à Kanazawa avec une jeune fille de son âge. Le risque qu'on me reconnaisse était trop grand. J'ai donc choisi Kyoto. Pour la magie de cette ville. Et aussi parce que je me suis rappelé cette vieille dame si généreuse dans sa maison qui surplombait le Pavillon d'Argent.

Quand j'ai appelé madame Takegawa et que je lui ai demandé si je pouvais passer deux ou trois nuits chez elle, précisant que je serais accompagné, elle a répondu tout de suite sans me laisser le temps de lui donner plus de précisions : « Ne prévoyez pas de dîner dehors. Je vous prépare un repas typique de Kyoto. Ce sera très simple mais les ingrédients seront tout frais ! Je ne peux pas faire mieux, je suis trop fatiguée en ce moment... mais je sortirai un ou deux bons vins de ma cave. Il faut m'aider à la vider tant que je suis encore de ce monde ! N'arrivez pas trop tard, pour profiter du soleil couchant sur la ville. »

Nous avons pris un taxi à la gare qui nous a déposés à l'entrée du chemin des Philosophes, devant le temple Nanzenji. Il faisait très beau, une de ces fins de journée de printemps paisible, quand le soleil étale une lumière dorée sur l'asphalte des rues et les façades en bois des maisons. Nous avons marché le long de la petite rivière bordée de cerisiers au feuillage vert tendre. Nous sommes enfin arrivés au Pavillon d'Argent et avons emprunté le sentier menant chez madame Takegawa. Saya avait enfoui sa main dans la mienne. De temps à autre, nous nous regardions. La confiance paisible en l'avenir que je lisais dans son regard remplissait mon cœur d'un bonheur que je n'avais encore jamais ressenti.

Nous nous sommes arrêtés devant le portail de chaume de la maison de madame Takegawa. J'ai appuyé sur le bouton de l'interphone. La porte basse s'est entrouverte et j'ai invité Saya à me suivre.

Madame Takegawa avait fait asperger d'eau fraîche l'allée qui menait vers sa maison. La flamme des bougies dans les lanternes en papier posées le long de l'allée luisait doucement sur les dalles. Un peu plus loin en contrebas, madame Takegawa nous regardait descendre le chemin. Un profond sentiment de reconnaissance m'a envahi à l'égard de cette vieille dame qui me recevait sans poser de questions. Bien que nous, les Japonais, nous ne sachions faire preuve de simplicité dans nos rapports, toujours alambiqués, cette dame japonaise d'une autre génération manifestait une étonnante compréhension.

« Eh bien, Jin, je vois que vous arrivez à temps ! Le soleil a failli ne pas vous attendre. Entrez donc ! » s'est-elle exclamée.

Je me suis déchaussé dans le vestibule. Derrière moi, Saya s'est inclinée et s'est présentée. Madame Takegawa m'a salué d'une brève inclinaison. Puis elle a invité Saya à entrer et l'a dévisagée longuement. Saya était intimidée, elle restait debout les bras ballants. Madame Takegawa s'est retournée vers moi, une lueur espiègle dans le regard.

« Voyons, voyons, Jin, qui est ce ravissant lys blanc que vous m'amenez là ? »

Je m'apprêtais à répondre, mais elle m'a interrompu d'un signe de la main :

« Inutile ! Je sais. Je sais tout. On ne trompe pas une vieille femme comme moi. Il n'est même pas nécessaire de vous interroger. Saya est si lumineuse, si belle ! En outre, vous avez eu la délicatesse de choisir une jeune fille élégante et discrète ! Il va falloir tout me raconter ! » Elle s'est retournée vers Saya et elle lui a fait un signe de la main. « Venez, je vais vous montrer votre chambre. C'est la pièce pour la cérémonie du thé. Elle est un peu étroite, mais je ne pense pas que vous aurez besoin de beaucoup de place, cette nuit, n'est-ce pas ? »

J'ai rougi. Saya a souri en baissant la tête. Elle était aussi embarrassée que moi. Madame Takegawa a fait mine de ne rien remarquer.

Elle a entraîné Saya dans le couloir et je me suis retrouvé seul dans la pièce à tatamis. L'opulent service auquel madame Takegawa m'avait habitué était une nouvelle fois dressé sur la table du kotatsu. Je me suis rendu dans la coursive qui surplombe la ville et je me suis assis pour contempler le paysage. Un banc de brume flottait paresseusement sur la vallée. J'entendais au fond de la maison le murmure de la conversation des deux femmes et, je ne sais pourquoi, ce doux bruissement semblable à l'eau d'un ruisseau après la pluie m'a apaisé. La quiétude a rempli mon cœur et je me suis senti comme un moine saisi par l'illumination de la vérité absolue, le Satori.

Au bout d'un moment, elles sont venues me rejoindre. Saya s'était changée et portait un léger kimono de coton serré par une ceinture de lin rouge. Elle était si belle, les cheveux retenus en queue-de-cheval, la tête inclinée sur son épaule… Une curieuse nostalgie s'est emparée de moi.

« Allez donc prendre votre bain pendant que Saya et moi faisons plus ample connaissance. Il vous attend », m'a lancé notre hôtesse.

Je me suis rendu dans la salle d'eau et me suis plongé dans le bain. L'odeur du bassin en bois de paulownia m'a apaisé. L'angoisse qui étreignait ma poitrine depuis des mois s'était envolée. En cet instant, tout me semblait de nouveau possible.

Madame Takegawa avait préparé un de ces repas dont seules les femmes natives de Kyoto ont le secret : des mets aux saveurs délicates qui flattent le palais. De là où nous étions, nous pouvions voir la ville recouverte d'un voile de lumière.

Après le dîner, Saya a aidé madame Takegawa à débarrasser la table malgré ses protestations, puis notre hôtesse a prétexté la fatigue pour se retirer dans sa chambre et nous laisser en tête à tête.

J'ai entraîné Saya vers la coursive. Elle s'est arrêtée devant la rambarde pour contempler la ville. Sa silhouette se détachait, très pure, sur le paysage. Je me suis approché d'elle et je l'ai enlacée, le visage enfoui dans sa chevelure. Elle n'a pas bougé. Je sentais la chaleur de son corps à travers son kimono. Son ventre se soulevait au rythme de sa respiration. Je voulais respirer par elle, vivre par elle, devenir elle. Je le lui ai dit. Elle a répondu d'un simple hochement de tête, comme un assentiment à une évidence.

« Asseyons-nous un moment, voulez-vous ? » a-t-elle murmuré.

J'ai apporté des coussins éparpillés autour du kotatsu et je les ai posés sur le parquet de la coursive. Elle s'est installée, les jambes repliées sur le côté. Je me suis allongé et j'ai posé ma tête sur ses genoux, le regard tourné vers la ville, enserrant ses hanches de mes bras. Elle a posé sa main sur ma tête, lissant les mèches de mes cheveux entre ses doigts.

J'ai fermé les yeux. Une brise de printemps s'est levée.

J'étais bien. Nous étions comme deux statues éternellement enlacées regardant passer le temps, impassibles.

Soudain, dans la pureté de la nuit, Saya s'est mise à chanter la *canzona* que Chérubin fredonne au début de l'acte I des *Noces de Figaro* : « *Voi, che sapete che cosa è amor...* » Vous qui savez ce qu'est l'amour...

J'ai été saisi d'une douce tristesse. Alors, j'ai pensé que je pouvais mourir sans regret. Je venais d'atteindre la rédemption et la sérénité au bout de la vallée noire de ma détresse. Saya m'offrait un amour si pur et si parfait qu'il rendait dérisoire toute autre quête.

« *Voi, che sapete che cosa è amor…* » L'écho de sa voix a résonné en moi toute la nuit qui a suivi.

Le lendemain matin, alors que nous visitions un temple, mon portable a sonné.

À l'autre bout de la ligne, c'était vous.

29

Kaori

Après cette soirée sordide au Dandy, la vie a repris son cours dans sa monotonie rassurante.

Demeurée seule dans la chambre de l'hôtel de passe, j'avais appelé Jinwaki sur son portable. Écrasée de remords par mon incartade, je comptais sur la voix de mon mari pour m'apaiser. Je m'apercevais à quel point, malgré notre éloignement, il restait la seule valeur sûre à laquelle je pouvais me raccrocher.

« Que t'arrive-t-il ? Pourquoi pleures-tu ?

– Je ne sais pas… je crois que j'ai trop bu… Il est très tard, et je voulais simplement te dire de ne pas t'inquiéter… Tout va bien. Mais je vais être obligée de prendre un taxi pour rentrer : il n'y a plus de train à cette heure-ci…

– Un taxi ! Tu vas rentrer de Tokyo jusqu'à Kamakura en taxi ? Mais cela va nous coûter les yeux de la tête ! Tu n'es vraiment pas raisonnable ! Tu ferais mieux d'aller à l'hôtel, ce sera moins cher », avait-il ajouté avant de couper brutalement la communication.

Je ne me voyais pas finir la nuit dans cette chambre : j'avais fini par me décider à prendre un taxi. Quand j'étais arrivée à la maison, tout était éteint. Mon cœur s'était serré : Jinwaki dormait certainement, indifférent à ce qui aurait bien pu m'arriver. Mais moi, ne faisais-je pas de même depuis des années, alors qu'il travaillait d'arrache-pied pour assurer la sécurité de notre famille ? Cette nuit-là, je me suis juré de n'être plus jamais indifférente aux soucis de mon mari.

Le printemps est arrivé. Jinwaki partait toujours aussi tôt le matin et rentrait tard le soir. Des soucis au travail, me disais-je. Il était taciturne et avait l'esprit ailleurs. Je voyais bien que quelque chose le tourmentait mais je n'osais pas le questionner. Je me contentais de tenir son linge propre, de m'assurer qu'il y avait toujours de la bière au frais et des amuse-gueule dans le placard.

Et puis, un soir, il m'a appelée pour me dire qu'il rentrerait plus tôt, me priant de préparer du porc au gingembre, son plat préféré. Je me suis demandé ce qui pouvait bien motiver un tel changement dans sa routine, et c'est avec une certaine inquiétude que j'ai attendu son retour.

C'était quelque temps après un déplacement professionnel de quarante-huit heures qu'il avait fait à Kyoto. J'avais trouvé cela un peu curieux, car son entreprise n'avait pas de magasin dans cette ville : peut-être allait-il voir des fournisseurs.

Il est arrivé à la maison vers dix-huit heures. Je me suis précipitée pour l'accueillir, ce qui ne m'était pas arrivé depuis bien longtemps. Il a paru surpris, presque heureux de me voir sur le seuil de notre maison. Son visage demeurait impassible mais il y avait de nouveau de la vie dans son regard. Il semblait débarrassé de l'angoisse qui l'habitait depuis tant de mois.

Il s'est déchaussé et m'a tendu son cartable en même temps qu'un grand sac dans lequel il y avait une boîte isotherme.

« C'est un nouveau pâtissier français avec lequel nous avons signé un accord exclusif. J'ai pris un assortiment de gâteaux que tu feras goûter aux enfants. Le bain est-il prêt ? Pourrais-tu me préparer mon yukata, s'il te plaît ? »

Je me suis demandé ce que tout cela pouvait bien signifier.

Après son bain, Jinwaki m'a rejointe dans la cuisine. Je lui ai servi une bière et des petits pois au raifort. Brad s'est installé sur ses genoux et il lui a caressé le museau. Il a bu sa bière et a grignoté un peu en regardant le journal du soir à la télévision. Et puis, comme s'il ne s'adressait à personne en particulier, il s'est mis à parler.

« J'ai décidé de changer de travail. Tu sais peut-être que la société se porte mal. L'avenir y est devenu trop incertain, même pour un vétéran comme moi. »

Cela m'a semblé énorme. Comment pouvait-il envisager de quitter une entreprise à laquelle il avait consacré sa vie depuis la sortie de l'université ?

« J'entre dans une entreprise française que tu connais bien. La meilleure dans le domaine du luxe. Son président m'a contacté pour que je le rejoigne. Je le connais, j'ai eu affaire à lui dans le passé. Il vit au Japon depuis très longtemps. Je crois qu'il s'entend bien avec les Japonais. Je vais avoir un titre important, de grosses responsabilités… Je passe à l'ennemi, en quelque sorte ! »

Quand il m'a donné le nom de votre maison, j'ai été soulagée. Je me sentais aussi très fière : j'allais pouvoir continuer à fréquenter mes amies la tête haute.

Jinwaki m'a décrit le poste qui allait lui être confié, évoquant également les nombreux déplacements qu'il serait amené à faire en France, au moins six fois par an pour les collections : un jour, c'était promis, il m'emmènerait avec lui. Toute heureuse à l'idée de revoir Paris, j'ai sorti deux canettes de bière du réfrigérateur, puis je me suis assise en face de Jinwaki et j'ai rempli son verre.

« Tu as raison ! s'est-il exclamé. Il faut fêter cela. Portons un toast ! »

Nous avons trinqué comme au bon vieux temps. Je lui étais infiniment reconnaissante d'avoir pris une décision courageuse pour protéger sa famille. Je mesurais l'étendue de son sacrifice : abandonner la voie toute tracée par plus de vingt ans d'efforts pour un avenir inconnu, quitter une entreprise japonaise pour une société étrangère, si prestigieuse fût-elle… cela n'avait pas dû être simple pour lui.

Ce soir-là, après avoir achevé ma toilette, j'ai eu envie de le rejoindre. Je suis retournée dans ma chambre pour m'apprêter. En ouvrant le tiroir de ma table de nuit, je suis tombée, stupéfaite, sur le pendentif qu'il m'avait offert des années auparavant. Avait-il vraiment disparu ou avais-je été victime d'une hallucination ? En tout cas, j'y ai vu un heureux présage : j'ai ouvert l'écrin et en ai sorti le cœur de platine, qui a étincelé de mille feux à la lueur de la lampe de chevet. Je l'ai accroché à mon cou et je me suis dirigée vers la chambre de Jinwaki. J'ai doucement fait coulisser la porte. Il dormait. Je suis restée un long moment sur le seuil de la pièce à écouter sa respiration paisible. Enfin, je me suis allongée près de lui et je suis restée sans bouger le restant de la nuit.

Quelques jours plus tard, il a rejoint votre entreprise. Ce n'était plus le même homme qui partait le matin et qui rentrait le soir. Il était disert, enjoué. À l'heure du dîner, il nous expliquait ce qu'il faisait, lui qui avant ne parlait jamais de ces choses-là. Il affirmait qu'il n'avait plus à se soucier des luttes entre clans ni des manigances de ses collaborateurs. Il lui suffisait de faire son travail pour être reconnu et apprécié à sa juste valeur. Et puis, il voyageait beaucoup, en province et à l'étranger.

De son premier séjour en France, il a rapporté de nombreux cadeaux. Comme vous le savez, je l'ai même rejoint là-bas au début du mois d'août, pour les congés de l'O Bon. Huit jours durant lesquels nous avons couru les musées, flâné et retrouvé avec nostalgie les lieux où nous avions vécu autrefois. Nous étions de nouveau ensemble. Même nos silences avaient un petit air de complicité. Non que nous ayions renoué avec l'harmonie d'antan, mais notre fraternité était en train de renaître.

Du moins l'ai-je cru.

C'est quelque temps après notre retour au Japon que l'inimaginable s'est produit.

Ce jour-là, dans la chaleur de la fin de l'été, j'étais allée au cimetière nettoyer la tombe de mes beaux-parents et faire brûler des bâtonnets d'encens. J'avais même fait réciter une série de sutras en leur mémoire par le supérieur du temple, priant un moment pour le repos de leur âme. Je suis rentrée à la maison à pied, trempée de sueur dans ma robe et mes bas noirs. Je me suis rendue directement à la salle de bains pour prendre une douche et me changer.

Il y avait un mot de Hideaki dans l'entrée me disant qu'il sortait pour la journée ; avant de partir il avait réceptionné un paquet pour moi qu'il avait laissé dans la cuisine.

Depuis que Jinwaki avait changé de travail, même Hideaki semblait moins perturbé. Il prenait son bain régulièrement, mettait son linge sale dans le panier au lieu de le laisser traîner par terre au gré de sa fantaisie, il ne sentait plus ce mélange d'alcool et de tabac qui m'écœurait lors de ses rares excursions hors de sa chambre.

J'ai fini de sécher mes cheveux, j'ai enfilé un short et un T-shirt et je me suis rendue à la cuisine : effectivement, une grosse enveloppe matelassée était posée sur la table. Notre adresse était calligraphiée avec application. Les coordonnées de l'expéditeur n'étaient pas indiquées sur le coupon de livraison, comme il est de coutume. Je recevais rarement des colis à mon nom. Intriguée, j'ai déballé le paquet.

À présent, je vous confie son contenu. Dans le message qu'il a laissé à mon intention, Jinwaki m'a demandé de vous le remettre. Il y dit que vous êtes capable de déchiffrer l'âme des Japonais, parce que vous nous aimez et nous respectez : vous seul pourrez l'absoudre sans le juger, le blâmer ou le condamner. Il a ajouté que vous êtes sans doute la seule personne au monde qui puissiez comprendre tout cela.

Malgré ma honte, je vous supplie donc humblement d'accepter d'être le dépositaire de l'histoire de notre famille.

30

Saya

Je n'ai pas touché à mon Journal depuis bien longtemps. Trop de choses terribles se sont passées depuis notre voyage à Kyoto. Mais tout cela n'a plus d'importance. Je veux simplement partager cette souffrance, qui n'a d'égal que les moments de bonheur que j'ai connus avec Jinwaki.

Notre séjour à Kyoto a dépassé mes attentes les plus folles. À la découverte de la magie de cette ville que je n'avais visitée qu'une seule fois avec ma classe s'est ajouté le bonheur d'être avec Jinwaki vingt-quatre heures sur vingt-quatre, dans cette magnifique maison perchée au-dessus du Pavillon d'Argent. J'étais presque convaincue que Jinwaki et moi avions un véritable avenir en commun, grâce à la façon dont la vieille dame nous a reçus : comme un couple normal, et non comme une lycéenne et un homme d'affaires sans cesse obligés de cacher leurs sentiments et de surveiller leurs moindres gestes. Quelle naïveté !

Le lendemain de notre arrivée, j'ai été réveillée à l'aube par un rayon de soleil qui filtrait doucement à travers le papier de la fenêtre de la chambre. Je me suis écartée du corps nu de Jinwaki, puis j'ai enfilé mon yukata en coton. Je me suis ensuite rendue sur la coursive et me suis agenouillée sur un coussin. Accoudée à la rambarde, j'ai regardé la lumière s'emparer de la ville, loin en contrebas. Je sentais la fraîcheur de l'air de la montagne sur mes bras nus, ma nuque et mon visage. La maison était enveloppée de silence. Mes lèvres avaient encore le goût de Jinwaki. Une grande chaleur a envahi mon cœur. Tout cela était si fragile et si fort en même temps ! Une larme a coulé sur ma joue. J'ignorais qu'on pouvait pleurer de bonheur.

J'ai entendu le froissement d'une étoffe derrière moi, je me suis retournée : c'était madame Takegawa. Je l'ai saluée. Elle a deviné la trace humide sur ma joue.

« Jeune fille, profitez de ces instants comme s'ils étaient les derniers, m'a-t-elle murmuré. Ils ne durent jamais longtemps. » Puis, l'air soudain enjoué, elle m'a tendu la main. « Venez m'aider à préparer le café ! Jin ne va pas tarder à se lever. »

Une heure plus tard, Jinwaki et moi sommes partis vers l'ouest de la ville. Il voulait voir le Pavillon d'Or au soleil du matin. Nous sommes arrivés à l'ouverture, avant que les cars de touristes ne débarquent. De là, nous nous sommes rendus au Ryoanji et avons médité un moment dans le jardin de pierres.

Ensuite, Jinwaki m'a emmenée à la villa Okochi, à laquelle on accède en traversant une impressionnante bambouseraie. Nous y avons admiré un magnifique parterre de mousses.

« C'est moins connu que le Kokedera, le temple des Mousses, mais c'est presque aussi beau et on n'a pas besoin de déposer une demande pour le visiter », m'a-t-il expliqué.

Tandis que nous déjeunions d'un bol de nouilles, assis à une table sous une treille de glycine, il a reçu un appel sur son portable. D'habitude, quand nous étions ensemble, son téléphone ne sonnait jamais. Il a eu l'air surpris et s'est éloigné pour prendre la communication. Quand il est revenu quelques minutes plus tard, une lueur bizarre dansait dans ses yeux.

« Pas de problème ? ai-je demandé, un peu inquiète.

– Non. Tout va bien, a-t-il répondu avant de changer de sujet. Viens, nous avons encore beaucoup de choses à voir. D'abord, le Pavillon d'Argent. Nous flânerons une nouvelle fois le long du cours d'eau du chemin des Philosophes jusqu'au temple Nanzenji, puis nous traverserons le parc de Maruyama et nous monterons au temple de l'Eau Pure juste à temps pour y admirer le coucher du soleil ! Ensuite, j'aurai une surprise pour toi ! »

La surprise était un très vieil arbre protégé par une enceinte de pierres, à l'entrée du sanctuaire Imakumano : un camphrier majestueux qui déployait en un vaste réseau tissé vers le ciel ses branches millénaires couvertes d'un feuillage dru.

« Chaque fois que je viens à Kyoto, je fais un détour au pied de cet arbre, m'a-t-il dit. J'en ai fait le dépositaire de tous mes secrets. Je voulais te présenter à lui. Lui confier notre histoire, en quelque sorte. »

La nuit venait de tomber. Les lanternes du sanctuaire se sont allumées. J'ai frissonné, saisie par la solennité du lieu. Tendant la main pour toucher le tronc rugueux de l'arbre, j'ai fait le serment de mon attachement éternel pour Jinwaki.

Cette nuit-là, chez madame Takegawa, lorsqu'il a défait la ceinture de mon kimono et qu'il a dévoilé mes épaules, il a remarqué le petit tatouage sur mon omoplate. Il s'est raidi.

« Pourquoi as-tu fait cela ?

– Pour vous appartenir complètement.

– C'est stupide ! Te mutiler ainsi… Ce n'est pas à toi de décider à qui tu appartiens. Le destin s'en chargera bien tout seul. »

Plus que de la colère, j'ai décelé de la mélancolie dans sa voix. Se pouvait-il que le bonheur soit si éphémère, comme me l'avait laissé entendre madame Takegawa ?

Le matin de notre départ, tandis qu'il était dans la salle de bains, une impulsion subite m'a poussée à regarder le contenu de son portefeuille. Je ne cherchais rien de particulier et j'avais un peu honte, mais je n'ai pas pu m'en empêcher. J'ai lu son adresse sur le permis de conduire, découvrant qu'il habitait Kita Kamakura, moi qui croyais qu'il vivait quelque part dans le périmètre de la ligne Yamanote… J'ai enregistré son adresse dans mon portable puis j'ai remis le portefeuille à sa place.

Les deux semaines qui ont suivi notre retour à Tokyo, nous nous sommes revus plusieurs fois. Jinwaki était toujours aussi prévenant. Il me racontait mille anecdotes sur les compositeurs dont nous allions écouter les œuvres. Rien n'avait changé dans nos rapports. Pourtant, je le sentais préoccupé, souvent absent.

Un soir, au début du mois de juin, après nous être rhabillés, j'ai sorti mon portable pour y noter la date de notre prochain rendez-vous. Il a éludé sa réponse d'un air coupable.

« Il faut que je consulte mon agenda, je ne l'ai pas sur moi, m'a-t-il dit, à ma grande surprise. Je vais être assez occupé au bureau dans les jours qui viennent… »

Je suis restée sans voix. Ainsi, il n'était qu'un banal employé ! Depuis que nous nous fréquentions, il avait si facilement calqué son emploi du temps sur le mien que j'en étais venue à croire qu'il avait une profession libérale lui permettant de mener sa vie à sa guise. Sans trop y croire, je m'étais même prise à penser qu'il était célibataire. Il était toujours si disponible ! Il a lancé par-dessus son épaule en se dirigeant vers la porte de la chambre :

« Je t'appelle ou je t'envoie un message dès que je sais quand je peux me libérer, d'accord ? »

C'était la première fois que nous nous quittions sans que je sache exactement quand je le reverrais. J'ai ressenti comme un vertige.

« Faites vite, alors ! » ai-je répondu.

Il a marmonné quelque chose en poussant la porte vitrée de l'hôtel et s'est évaporé dans la foule.

Toute la semaine suivante, j'ai vainement attendu un appel ou un message de sa part. Le mois de juin s'est écoulé sans qu'il donne de nouvelles. Je l'ai appelé sur son téléphone, j'ai laissé des messages sur sa boîte vocale. Il n'a jamais décroché ou rappelé. Alors j'ai cru devenir folle. Je restais prostrée des heures entières, ne dormant plus, mangeant à peine. La nuit dans mon lit, j'enfouissais la tête dans mon Snoopy en peluche et, invariablement, j'éclatais en sanglots.

Un matin, au début des congés de juillet suivant la semaine d'examens, à bout de nerfs, j'ai décidé de me rendre à l'adresse de Kita Kamakura. Une fois sur place, j'ai trouvé facilement la maison où vivait Jinwaki, un bâtiment japonais traditionnel au lourd toit de tuiles grises. Soudain, la porte d'entrée s'est ouverte. À peine ai-je eu le temps de me cacher derrière un poteau électrique, une jeune fille élancée d'une vingtaine d'années s'est avancée dans l'allée. Elle ressemblait incroyablement à Jinwaki. J'ai ressenti comme un coup de poing au creux de mon estomac. Ainsi, il avait une fille ! Elle était plus âgée que moi !

Voilà comment la vie de Jinwaki, cette vie que je m'étais toujours refusé d'imaginer, m'a brutalement sauté au visage, me précipitant dans une souffrance indicible.

À partir de ce jour-là, j'ai pris l'habitude de revenir tous les matins, de plus en plus tôt, dans l'espoir de le croiser enfin. J'ai souvent revu la jeune fille svelte, et aussi un garçon de mon âge qui marchait en traînant les pieds, le regard vide ; une femme d'un certain âge, enfin, sans doute l'épouse de Jinwaki, qui promenait un stupide petit chien aux yeux protubérants.

Mais Jinwaki, jamais je ne l'ai revu.

Alors, petit à petit, j'ai commencé à faire disparaître tout ce qui me rattachait à lui.

J'ai vidé le flacon de son parfum, lavant aussi ma peluche et mon oreiller. Puis j'ai donné à une copine les CD qu'il m'avait achetés. Un soir, dans la salle de bains, alors que je me brossais les cheveux, j'ai aperçu dans le miroir le ridicule petit personnage de bande dessinée qui ornait désormais mon épaule. Je l'avais presque oublié. Lui aussi, je devais l'effacer. Mais comment faire ?

C'est alors que je me suis rappelé le médecin légiste. Après tout, n'était-il pas responsable de tout ce qui m'était arrivé ?

Vendredi dernier, je me suis rendue à son domicile en fin de soirée. J'ai eu de la chance, il était chez lui. Quand il m'a ouvert, il a eu un mouvement de recul. Son regard était plein d'appréhension.

« Que fais-tu là ?

– J'ai besoin d'un service que vous seul pouvez me rendre.

– Pourquoi le ferais-je ?

– Parce que vous n'avez pas le choix. Vous le savez bien. »

Je lui ai expliqué ce que j'attendais de lui. Il a tergiversé, arguant du fait que ce n'était pas sa spécialité, qu'il n'avait pas le matériel pour pratiquer une telle opération. Il a capitulé quand j'ai menacé de me rendre au poste de police le plus proche. Il a fini par me donner rendez-vous dans un cabinet médical le lendemain.

« J'en suis le propriétaire mais je n'y exerce pas. C'est fermé en fin de semaine. Il faudra que je te fasse une anesthésie locale. Une greffe sera sans doute nécessaire. Je ne te garantis pas le résultat. Encore une fois, ce n'est pas ma spécialité, et ce n'est pas la meilleure saison pour une telle opération : la chaleur et l'humidité ne font pas bon ménage avec ce genre d'intervention. Tu es certaine que tu ne préfères pas plutôt faire cela à l'automne ? »

Non, je ne le voulais pas, je ne pouvais pas attendre un jour de plus. La trahison de Jinwaki m'est insupportable. Le plus dur, c'est de ne pas savoir pourquoi il a si brutalement interrompu notre relation. Sa sincérité était-elle feinte ? Sa duplicité, si grande qu'il m'a bernée tout ce temps avec des sentiments qu'il n'éprouvait pas réellement ?

Le médecin légiste m'a opéré samedi matin. Son orgueil professionnel a repris le dessus. Il était tout fier de son travail.

« J'ai enlevé le tatouage en ne te retirant qu'un minimum de peau. Le tatoueur n'avait pas percé très profond, cela m'a aidé. Regarde ! »

Il m'a montré le petit carré de peau qu'il avait enfermé dans un petit sachet en plastique rempli de formol. La peau était si fine que la lumière passait au travers. Le petit personnage de bande dessinée ressemblait à un poisson dans un bocal.

« Pour la greffe, j'ai prélevé un morceau de peau sur ta cuisse. Tout cela cicatrisera vite. Tu prendras ces cachets, des antibiotiques, à chaque repas. Voici aussi des calmants pour deux jours. Il faudra revenir demain pour que je change les pansements et nettoie les plaies. »

Inutile de dire que je ne suis pas retournée le voir. De son côté, il n'a pas essayé de me contacter. Je n'ai pas non plus pris les médicaments. Je souffre de démangeaisons intolérables. Les plaies se sont probablement infectées. La tête me brûle. J'ai de la fièvre, beaucoup de fièvre.

Il est tard. Je suis triste et fatiguée. J'aurais beau hurler, personne ne pourrait venir à mon secours. Je suis enfermée dans un monde totalement déconnecté de la vraie vie. Seul Jinwaki possède la clef pour m'en faire sortir, mais il a disparu. En moi, Jinwaki a tout dévasté.

Ce matin, j'ai rangé dans une grande enveloppe matelassée mon téléphone portable désormais inutile, le bocal contenant mon tatouage, la clef USB avec les messages de Jinwaki et le scrapbook dans lequel j'ai collé tous les billets et les programmes des concerts auxquels il m'a emmenée, les prospectus des temples que nous avons visités à Kyoto et un article que j'ai trouvé dans le *Sankei Express* sur le camphrier magique du sanctuaire Imakumano.

Je vais aussi y glisser ce Journal, que je vais imprimer et serrer dans un classeur. Je n'ai plus besoin maintenant d'y consigner quoi que ce soit puisque je suis comme cliniquement morte…

31

Me voici malgré moi dépositaire de toute cette histoire, comme si je n'avais pas assez de la mienne.

L'histoire de Jinwaki, celle de Kaori et de Saya.

Trois pauvres petites vies bousculées par le destin.

J'avais déjà croisé Jinwaki à une ou deux reprises au cours de ma carrière, à l'ouverture du magasin de Nara puis à Yokohama, où nous avions une boutique. Il n'était pas assez haut placé dans la hiérarchie compassée et rigide de son entreprise pour être autorisé à assister à nos réunions. Lorsque je passais à l'étage dont il était responsable, il restait modestement sur le seuil de notre boutique, saluait sans dire un mot et restait les mains croisées tandis que je discutais avec notre directrice et nos vendeuses. Dès que ses supérieurs venaient m'accueillir, il s'effaçait. Je ne savais même pas qu'il avait vécu à Paris ni qu'il parlait français.

C'est notre vice-président qui m'a suggéré de le rencontrer pour le remplacer lorsqu'il prendrait sa retraite. Cela faisait des semaines que les chasseurs de têtes me présentaient des candidats sans que je trouve quelqu'un qui fasse l'affaire. J'ai contacté Jinwaki sur le numéro de portable que notre vice-président m'a communiqué pour prendre rendez-vous.

Il m'a tout de suite plu. Plutôt grand et mince, avec une abondante chevelure argentée qu'il ne se donnait pas la peine de teindre, il avait le visage énergique empreint de la noblesse de cette caste de grands marchands descendants de samouraïs et qui ont fait le

Japon moderne. Nous avons conversé quelques minutes en français, langue qu'il maniait relativement bien, puis nous sommes passés au japonais. Il ne m'a pas caché son désarroi depuis son licenciement, ses repères disparus, l'angoisse du lendemain. Mais, au contraire de certains candidats qui avaient irrémédiablement perdu confiance et dont le regard indiquait à quel point le chômage les avait psychologiquement détruits, il avait gardé foi en sa capacité à rebondir. Sa franchise et son ouverture d'esprit étaient peu communes pour un ancien cadre d'un des secteurs industriels les plus conservateurs du pays, de même que son excellente connaissance du marché du luxe. Autant d'atouts qui ont achevé de me convaincre que je tenais la bonne personne pour remplacer notre vice-président. Je lui ai fait une offre qu'il a tout de suite signée, de même qu'il a accepté de prendre ses fonctions immédiatement. Cela tombait bien : il a pu se joindre à moi pour les réunions stratégiques de notre groupe qui avaient lieu début juin en France.

Nous avons passé la seconde moitié du mois à sillonner le Japon pour que je le présente à nos clients. Quand nous avons rendu visite à ses anciens patrons, sa jubilation transpirait sous son attitude réservée de circonstance. Ils sont restés de marbre et ont pris sa carte de visite comme si c'était la première fois qu'ils le rencontraient. Dans un certain sens, c'était le cas. À leurs yeux, en changeant d'entreprise, Jinwaki avait changé d'identité. Son recrutement par un de leurs clients les plus incontournables le projetait de nouveau dans leur monde en lui donnant un regain d'existence qui les déroutait.

Au mois de juillet, il est reparti à Paris pour assister à la présentation des collections de haute couture. Je lui avais conseillé d'y rester pour suivre un cycle de formation intensive au siège de l'entreprise. Il m'a demandé l'autorisation de prendre sur place quelques jours de congé. Début août, les affaires tournent au ralenti, et j'ai pensé qu'après deux mois d'activité intenses un petit répit avant le coup de feu de la rentrée lui ferait du bien. Je le lui ai donc accordé. Il m'a dit qu'il comptait faire venir sa femme, avec laquelle il n'était plus parti en vacances depuis longtemps.

Ils sont rentrés vers le 10 août. Je ne l'ai pas revu tout de suite, ayant fui avec mon épouse le plus fort des chaleurs de l'été dans l'île de Hokkaido, mais nous nous sommes parlé deux ou trois fois au téléphone. Il était ravi de son séjour en France, du stage qu'il y avait fait, de ses journées de flânerie dans Paris et ses musées en compagnie de sa femme. Il avait une vision enthousiaste des affaires, fourmillait d'idées nouvelles. Je suis revenu au bureau le 20 août et nous avons beaucoup travaillé ensemble aux budgets de l'année prochaine. Plus je le côtoyais, plus je me félicitais de mon choix. Je le savais courageux à la tâche et dur en affaires. Je l'ai découvert raffiné et cultivé.

C'est à la fin du mois que j'ai senti un changement dans son comportement. Il était toujours aussi efficace et déterminé face aux clients, affable avec le personnel et incisif dans ses jugements lorsque nous évoquions des points de stratégie sur lesquels je lui demandais son avis, mais son regard était chargé d'anxiété. Dès qu'une réunion prenait fin, il se précipitait sur le BlackBerry que le département informatique de la société lui avait confié pour y consulter sa messagerie. Il téléphonait à un interlocuteur qui semblait ne jamais répondre et restait de longues secondes prostré après avoir raccroché. « Je crois savoir qu'il a des problèmes avec sa femme », m'a un jour susurré notre président de cet air gourmand que prennent les Japonais quand ils colportent une rumeur. J'ai décidé de ne pas creuser plus avant, ayant pour habitude de rester le plus possible éloigné des affaires intimes de mes collaborateurs. La sphère privée des Japonais interfère rarement avec celle de leur vie publique, et j'ai pour principe de respecter ce cloisonnement et leur discrétion.

Le premier lundi d'octobre, il est arrivé très en retard à notre réunion du comité exécutif. Il était hagard. Il avait l'air épouvanté. Ses mains tremblaient de manière incontrôlée. Il nous a expliqué en butant sur les mots que son train avait pris un retard considérable à cause d'un suicide sur la ligne Yokosuka.

« Ce n'est pas une raison pour vous mettre dans tous vos états !

Cela arrive hélas pratiquement tous les jours, s'est exclamé le directeur financier.

– Vous ne comprenez pas ! Cela s'est passé sous mes yeux ! Sous mes yeux ! » a-t-il martelé avant de se cacher le visage dans les mains.

Nous nous sommes regardés en silence, frappés d'effroi. Nous réalisions parfaitement l'affreux traumatisme que cela devait représenter.

Finalement, la directrice des ressources humaines s'est approchée de lui et l'a aidé à s'asseoir d'une pression douce sur les épaules, en un geste de familiarité inhabituel pour une Japonaise et qui m'a surpris.

« Voulez-vous rentrer chez vous ? »

Déjà, il s'était ressaisi.

« Non ! Surtout pas ! Excusez-moi, je me suis laissé aller. Je suis impardonnable. »

Nous nous sommes tous récriés. Quelqu'un lui a donné une tasse de café. Sa secrétaire lui a apporté son agenda, ses notes, une serviette chaude qu'il a passée sur son visage.

Le soir même, je devais me rendre à Kobe, accompagné de Jinwaki, pour rencontrer le directeur d'un magasin afin de régler un important contentieux. Un dîner était prévu, suivi de l'inévitable visite dans un bar de la ville pour arrondir les angles. Nous devions donc y passer la nuit. J'ai dit à Jinwaki que je pouvais très bien m'y rendre seul, mais il a insisté pour se joindre à moi.

Il est resté prostré tout le long du trajet entre Tokyo et Kobe, le regard perdu dans le paysage qui défilait à grande vitesse, le front collé à la vitre du wagon. Je n'ai pas voulu le déranger, pensant que le meilleur moyen pour lui de dissiper le cauchemar était sans doute qu'il le passe en boucle dans son esprit pour en désosser les insoutenables images.

À Kobe, une fois notre problème réglé, nous sommes partis dîner avec les responsables du magasin dans un restaurant de viande de bœuf, puis nous nous sommes rendus dans un club proche du parc de Shinmachi, près de la rivière Shinkawa. Je n'ai rien retenu du décor du bar, qui doit ressembler à tous les établissements de ce type, sinon qu'un piano à queue transparent trônait en son milieu. Cet instrument dont on voyait les entrailles m'a paru indécent. Jinwaki a bu plus que de raison, mais il tenait bien l'alcool et cela ne se voyait pas.

Vers vingt-trois heures, les responsables du grand magasin ont fini par nous quitter. Nous avons décidé de rester. J'ai commandé une nouvelle bouteille de whisky et nous avons continué à boire en silence. J'avais congédié les hôtesses qui papillonnaient autour de nous. Au bout d'un moment, Jinwaki m'a dit en tendant le bras vers le piano :

« Savez-vous jouer ?

– Hélas non. Je sais à peine lire le solfège. C'est le grand regret de ma vie. Et vous ? »

Sans répondre à ma question, il s'est levé en titubant, il s'est appuyé un instant au dossier du sofa, a repris son équilibre, puis il est allé s'asseoir devant le piano. Il a d'abord fait quelques gammes hésitantes, dodelinant de la tête, promenant ses doigts sur le clavier comme s'il caressait le dos d'une femme.

Soudain, fermant les yeux, il a plaqué les premiers accords d'un air que je n'ai d'abord pas reconnu, mais comme une fleur qui éclôt, ou un paysage jusqu'alors plongé dans la pénombre que les rayons du soleil levant dévoilent, petit à petit la mélodie a gagné en densité, note après note elle s'est épanouie, et le Canon de Pachelbel s'est élevé dans l'air enfumé du club.

Dans la salle, les gens se sont arrêtés de parler pour écouter. Les hôtesses debout derrière les clients, une serviette chaude à la main, les serveurs plateau en équilibre à bout de bras, les clients mégot pincé entre le pouce et l'index… l'assemblée était fascinée par le swing hypnotique au rythme lancinant que Jinwaki enrichissait de trilles, passant du *pianissimo* au *fortissimo*, égrenant des passages liés et d'autres syncopés comme la respiration haletante d'un athlète. Il jouait avec l'aisance insolente d'un virtuose, reprenant le thème musical qu'il enrichissait d'improvisations envoûtantes. Cela a duré une bonne dizaine de minutes. Il a plaqué un dernier accord qui s'est évanoui en vibrant dans le ventre du piano. Il est resté accroché un moment au clavier, comme s'il avait peur de sombrer dans le silence brutal que seul perturbait maintenant le ronronnement des appareils d'air conditionné. Enfin, quelqu'un dans la salle s'est mis à applaudir, un homme a sifflé d'admiration en se levant et tout le monde a suivi. Debout, on lui a fait une ovation. Il a salué d'un bref mouvement de la main. Un client lui a tendu un verre qu'il a avalé d'une traite, la tête renversée en arrière, puis il s'est levé et il est venu se rasseoir lourdement à côté de moi. Il a murmuré, les yeux perdus dans le vague du plafond :

« Elle savait le jouer tellement mieux que moi ! »

J'ai senti que le moment était venu pour lui de se confier. Les digues de sa réserve venaient de se rompre, balayées par l'alcool, l'atmosphère du bar et la fatigue.

« Racontez-moi, Jinwaki San, ai-je murmuré tandis qu'il sortait une cigarette d'un paquet posé sur la table basse devant nous.

– Saya. Son nom est Saya… »

Il a allumé la cigarette à la flamme d'un briquet que lui tendait une hôtesse. Il lui a fait signe de s'éloigner. Il s'est calé dans le sofa, a bu une autre gorgée de Pure Malt et d'une voix monocorde, le regard absent, il m'a conté son histoire à partir de la minute où son supérieur hiérarchique lui avait annoncé son licenciement, il y avait presque un an de cela :

« J'en étais à quatre paquets par jour… »

Il a parlé deux heures d'affilée, interrompant son récit de courtes pauses pour boire une gorgée ou allumer une nouvelle cigarette.

« Après votre appel, tout s'est passé si vite que je n'ai pas eu le temps de m'organiser. Si immoral que cela puisse paraître, je ne pouvais envisager de quitter Saya. Certes, je savais bien qu'en reprenant une activité professionnelle, en retombant dans la routine de la normalité, tout cela serait plus difficile, y compris le regard que je porterais sur moi-même. J'allais devoir évoluer sur le fil du rasoir d'une vie parallèle compliquée par un emploi du temps chargé, mais je ne me voyais pas vivre sans Saya. Elle était devenue indispensable à mon équilibre. » Il a craché une volute de fumée vers le plafond. « Cela faisait à peine deux jours que je vous avais rejoint quand nous nous sommes retrouvés dans notre hôtel habituel. Avant que nous nous quittions, elle m'a demandé de fixer notre rendez-vous suivant. Vous m'aviez annoncé dans l'après-midi que je devrais vous accompagner en France. Je savais que nous partions trois jours plus tard mais je n'avais pas encore le détail des vols. J'ai pensé lui avouer la vérité, mais cela m'aurait obligé à dérouler tous les mensonges par omission que je lui avais faits. Je ne me suis pas senti le courage de lui parler ce soir-là. Je suis donc resté évasif, arguant d'un agenda chargé. J'ai bien vu qu'elle était surprise de découvrir que j'avais soudain un emploi du temps à gérer alors que j'avais toujours été si disponible. Tout cela ne m'a pas paru très grave. Je comptais la rappeler avant de partir pour fixer avec elle la date de notre rendez-vous suivant. Je lui expliquerais tout à ce moment-là. Je ne pouvais imaginer qu'un grain de sable imprévisible viendrait s'insérer dans les rouages de ma vie : je n'ai pas pu entrer en contact avec elle… »

Jinwaki a interrompu son récit pour se rendre aux toilettes. Pendant sa courte absence, j'ai repassé dans ma tête la révélation qu'il venait de me faire, cette incroyable histoire d'amour avec une adolescente que je ne parvenais pas à trouver scandaleuse bien que mesurant parfaitement son indécence au regard de la loi et de la société. Comme tout le monde, j'avais entendu parler des « rapports subventionnés ». Cette recherche malsaine de la jeunesse éternelle dans la chair d'une adolescente par des hommes mûrs me donnait des frissons. La perversion des jeunes filles qui s'y laissaient entraîner me révulsait. Mais il y avait quelque chose de pur et d'essentiel dans cette relation entre Jinwaki et Saya. Le cœur des êtres humains m'a soudain paru d'une complexité insondable. Pouvait-il y avoir des amours interdites quand elles se révélaient aussi sincères que les sentiments qui animaient ces deux-là ? Sans la version de Saya, il n'y avait pas de réponse à cette question.

Jinwaki est revenu. Il a commandé un grand verre d'alcool de pommes de terre coupé d'eau chaude au serveur qui naviguait entre les îlots des sofas. Il a attendu que la boisson soit servie pour reprendre le fil de son récit.

« J'ai vu clair dans mon emploi du temps le surlendemain, mais j'ai eu tant de choses à préparer que je n'ai pas eu le temps d'appeler Saya. J'ai voulu le faire en me rendant à l'aéroport le matin de notre départ. En attendant mon train sur le quai de la gare, j'ai sorti mon portable et j'ai appelé son numéro. Au moment où je portais l'appareil à mon oreille, quelqu'un derrière moi a heurté mon coude en passant et le téléphone m'a échappé des mains. Il est tombé sur la voie. Je me suis retourné pour chercher le chef de quai. Il était à une centaine de mètres de moi. Je me suis dirigé vers lui en lui faisant de grands signes et en criant pour attirer son attention. Les gens me regardaient avec méfiance, persuadés qu'ils avaient affaire à un dément. Je suis enfin arrivé à sa hauteur et je lui ai expliqué mon problème. "Ce genre d'incident arrive assez souvent ! m'a-t-il dit. Nous avons des pinces articulées à manche long qui nous permettent de récupérer les objets que font tomber les usagers sur la voie. Je vais le faire après le passage de l'express qui traverse la gare dans une minute !" Il a pris un micro pour annoncer l'arrivée du train pendant que je retournais vers l'endroit du quai où mon portable était tombé. L'express est passé dans le fracas de ses boggies sur les rails au moment où j'y parvenais. Je me suis penché sur la voie. Le train avait pulvérisé mon téléphone en fragments de plastique et de circuits imprimés. L'employé s'est approché, la pince articulée à la main. Il a regardé d'un air peiné les débris de mon téléphone et s'est exclamé avec commisération, comme s'il s'était agi d'un être humain : "Je crois hélas qu'on ne peut plus grand-chose pour lui !" Je lui ai demandé s'il pouvait descendre sur la voie pour récupérer la carte SIM contenant les données enregistrées, mais il a secoué la tête avec véhémence.

“C’est bien trop dangereux ! Je ne vais pas interrompre le trafic pour un malheureux portable ! Nous allons demander aux équipes de maintenance de s’en occuper cette nuit. Pouvez-vous venir avec moi dans le bureau du quai ? Je vais vous faire remplir un formulaire !” Comme je n’avais pas le temps de procéder aux formalités, nous avons échangé nos cartes de visite. Je lui ai dit que je repasserais à mon retour de voyage. Mon train arrivait en gare. Je l’ai pris. »

Jinwaki a vidé son verre et il a commandé une autre boisson. Malgré la quantité d’alcool qu’il avait ingurgitée au cours de la soirée, il était aussi calme et posé que s’il avait été sobre. Il a sorti un paquet de cigarettes de la poche de sa veste, en a tiré la dernière qui s’y trouvait et l’a allumée.

« Je ne comprends pas pourquoi vous n’avez pas réussi à joindre cette jeune fille. Certes, la perte de votre portable était un contretemps fâcheux, mais il vous suffisait de l’appeler une fois arrivé à Narita !

– Je n’avais noté son numéro de téléphone et son adresse e-mail que dans mon cellulaire. Par négligence, par prudence surtout, de peur que mon épouse ne tombe sur ses coordonnées, je ne les avais relevées nulle part ailleurs. La paresse et l’insouciance que la modernité engendre ont fait le reste. Lorsqu’il suffit d’appuyer sur une touche pour contacter quelqu’un, pourquoi mémoriser son numéro par cœur ? À l’aéroport, j’ai bien tenté de me rappeler le numéro de Saya ou son adresse e-mail, mais ce fut peine perdue. Les deux ou trois numéros que j’ai essayé d’appeler n’étaient pas les bons.

» Après mon retour à Tokyo, je suis allé à la gare dans l’espoir de récupérer la carte SIM, mais les ouvriers de la voie ferroviaire ne l’avaient pas retrouvée. Ensuite, je me suis rendu au café Sombrero. Le propriétaire m’a dit qu’il n’avait pas vu Saya depuis plusieurs semaines. C’était une cliente comme une autre. Il n’y avait aucune raison pour qu’il ait ses coordonnées. Je suis retourné plusieurs fois au salon de thé de Shibuya, j’ai fait le poireau devant le *love hotel* plusieurs soirs de suite dans l'espoir qu'elle aurait l'idée de venir m'y attendre. Bien que cela fût risqué, je me suis même finalement rendu à son lycée au début du mois de juillet, dans l'intention d'obtenir de l'administration de l'école qu'elle me communique son adresse en invoquant un prétexte fallacieux. Je me suis aperçu que je ne connaissais pas le nom de famille de Saya ! Bien sûr, la responsable a refusé de m'aider, et quand je suis devenu trop insistant elle m'a regardé avec une telle suspicion que j'ai dû battre en retraite. Il a fallu que je me rende à l'évidence : j'avais perdu tout moyen de retrouver Saya. C'est ridicule, n'est-ce pas ? »

J'ai hoché la tête, rempli de compassion. Je comprenais plus que Jinwaki ne pouvait l'imaginer la déchirure qu'il ressentait. Ce stupide enchaînement de petits incidents déclenchant un désastre était en quelque sorte le miroir de ma propre histoire.

Près de quarante ans plus tôt, j'avais perdu tout contact avec une jeune fille que le destin avait mise sur mon chemin. Mais c'était une autre époque. J'habitais la France et elle vivait au Japon. Les moyens de communication n'étaient pas aussi sophistiqués qu'ils le sont devenus. Pourtant, j'avais devant moi l'histoire d'un homme qui se trouvait dans la même situation absurde que la mienne. J'ai pensé que le destin est cruel ; quand il impose un oukase à un pauvre mortel, nulle volonté ne peut s'opposer à son caprice et l'issue de ses manigances est inexorable.

Jinwaki, inconscient de mon trouble, a repris la parole.

« J'ai tenté de me raisonner, de remettre les choses à leur juste place. Je venais d'obtenir un travail qui m'offrait un avenir dans l'entreprise la plus prestigieuse de notre industrie. J'avais de nouveau une carte de visite qui suscitait le respect. J'avais retrouvé ma place sur l'échiquier de notre société, sans pitié pour les faibles, les parias, les déchus. Je pouvais envisager l'avenir avec une nouvelle sérénité. Je me suis forcé à croire qu'avec le temps qui passerait Saya n'aurait pas plus de réalité qu'un nuage qui traverse le ciel et qui s'effiloche dans l'éther. Je me suis dit que parmi les nombreuses facultés de l'être humain, s'il y a le souvenir, il y a aussi l'oubli. Oui, je pensais qu'en retournant vers la vraie vie, j'oublierais et que tout irait de nouveau bien. Cela ne s'est pas du tout passé ainsi.

– Je vois. Vous n'êtes pas parvenu à oublier Saya, n'est-ce pas ? On a beau enfouir au plus profond de son cœur les voix aimées qui se sont tues, quand la mémoire est chargée du corps et de l'âme de l'autre, les moments d'exception, les instants de félicité que l'on a vécus ensemble finissent toujours par resurgir ! Je me demande pourquoi on s'entête à essayer de savoir ce que nous auraient réservé les vies que nous n'avons pas eues...

– Non, ce n'est pas ce qui s'est passé. Certes, je me suis aperçu que le souvenir de Saya s'évaporait plus rapidement que je ne l'aurais imaginé. Mon second séjour en France y a sans doute été pour beaucoup. Les retrouvailles avec les lieux, les odeurs, les bruits d'antan sont entrées en collision avec les souvenirs récents, qu'elles ont pulvérisés. Au bout d'un moment, je ne parvenais plus à me rappeler le son de la voix de Saya, la forme de son visage, la douceur de sa peau. Son image était comme un reflet dans un miroir brisé, où seules quelques pièces du puzzle, l'étrange couleur bleutée de l'iris de ses yeux, le creux palpitant de son crâne à l'endroit de sa trépanation, sa manière de jouer le Canon de Pachelbel, étaient encore perceptibles. J'enrageais de constater avec quelle vitesse Saya s'évanouissait. Ma versatilité me révoltait. Je me haïssais de constater l'ingratitude et la volatilité de mes sentiments à son égard, mais dans le même temps je ressentais un certain soulagement et je me disais qu'il devait en être de même pour elle, que sa jeunesse avait sans doute même accéléré le processus de désagrégation.

« Tout allait donc pour le mieux dans le meilleur des mondes ! » n'ai-je pu m'empêcher d'ironiser, un peu dépité qu'une histoire aussi puissante puisse fondre dans l'ingratitude de l'oubli.

Sans relever mon amertume, Jinwaki a repris.

« Je m'étais lourdement trompé sur la capacité de Saya à m'effacer de sa vie. Il y a deux semaines, je suis rentré à la maison après un dîner. Tout était éteint, ce qui ne m'a pas surpris outre mesure car il était très tard. Je suis entré dans le vestibule. La veilleuse aussi était éteinte. Une fois dans la salle de bains, j'ai constaté que la baignoire était vide. J'ai trouvé cela un peu étrange. Je me suis contenté de prendre une douche en grommelant que tout foutait le camp si ma femme ne prenait plus la peine de préparer le bain du soir. J'ai enfilé un yukata et je me suis rendu dans la cuisine pour boire une bière fraîche.

» Quand j'ai allumé le plafonnier, j'ai tout de suite vu l'épaisse enveloppe sur la table. Elle était adressée à mon épouse. Mon sang s'est glacé quand j'ai reconnu, posé sur l'enveloppe, le téléphone portable de Saya auquel étaient accrochées des breloques, dont un petit Daruma de tissu que je lui avais acheté à Kyoto. Je me suis précipité et je l'ai ouvert. Sur l'écran, palpitait encore l'animation du pictogramme d'un de mes messages, un petit cœur percé d'une flèche. J'ai regardé dans l'enveloppe. J'y ai trouvé un gros cahier à spirale sur lequel était collée une étiquette. J'ai lu : "Journal de Saya". Je l'ai feuilleté. Elle avait commencé à le rédiger un an auparavant, quelques semaines avant notre première rencontre au Sombrero. Tout y était consigné dans le moindre détail. Je l'ai lu d'une traite, incapable de me détacher de son récit. Hébété, j'ai voulu le ranger dans l'enveloppe mais cela coinçait, il y avait autre chose au fond : une clef USB sur laquelle était collée une étiquette avec la mention "Autres messages de Jinwaki" et un mot de passe pour y avoir accès. J'ai aussi sorti de l'enveloppe une pochette de plastique molle remplie de liquide. Je n'ai d'abord pas cru ce que je voyais. Quand enfin l'image du petit personnage de bande dessinée française a atteint mon cerveau, j'ai hurlé de dégoût en jetant la pochette loin de moi. Saya avait arraché son tatouage ! Elle s'était mutilée ! Je me suis mis à trembler, l'estomac retourné. Je me suis précipité vers l'évier et j'ai vomi, vomi comme jamais auparavant dans ma vie.

» Ensuite, je me suis rendu dans la chambre de Kaori, m'attendant au pire. Il y avait une enveloppe à mon nom posée en évidence sur l'oreiller du futon. Je ne parvenais pas à l'ouvrir tellement mes mains tremblaient. Dans sa lettre, Kaori disait simplement qu'elle partait avec les enfants, qu'il était inutile que je la cherche. Encore plus que ma trahison, elle ne me pardonnerait jamais ce que j'avais fait à une adolescente crédule. J'ai immédiatement appelé sur son portable, sur celui de mes enfants, chez tous les parents de Kaori, ses amies proches. J'ai réveillé la terre entière. Ma femme était injoignable. Elle ne s'est pas manifestée depuis ce jour. Ou plutôt si : le lendemain elle a vidé nos comptes en banque. »

J'ai regardé Jinwaki, incrédule.

« Comment aviez-vous pu être assez inconscient pour donner votre adresse à cette jeune fille ?

– Je ne l'ai pas fait, mais j'ai été imprudent : je n'ai jamais vidé mes poches de tout élément pouvant lui fournir mon identité et mon adresse. Cela me paraissait indigne de notre relation de la soupçonner de fouiller dans mes affaires. Je suppose que c'est ce qu'elle aura pourtant fait. »

J'ai secoué la tête, abasourdi.

« Savez-vous ce qu'est devenue Saya ? S'est-elle manifestée ? »

Jinwaki m'a regardé longuement sans répondre. Une larme a coulé sur sa joue, se frayant un chemin hésitant entre les poils de sa barbe naissante.

« Elle est morte, a-t-il dit enfin. Elle est morte ce matin. C'est elle qui s'est suicidée devant moi en se jetant sous les roues du train à la gare de Kita Kamakura. »

J'ai regardé mon collaborateur avec horreur. Il avait plongé son visage entre ses mains. Sa voix m'est parvenue étouffée, syncopée. Alors qu'il attendait son train pour Tokyo, il avait reconnu la silhouette de Saya qui se tenait tout au bout du quai opposé. Elle lui tournait le dos, semblant épier l'arrivée de l'express en provenance d'Oofuna. Elle n'avait pas vu Jinwaki. Il a crié son nom et s'est précipité vers elle. Le passage à niveau venant de se fermer, il ne pouvait traverser. Elle n'a pas entendu sa voix, couverte par l'annonce de l'arrivée du train de Tokyo.

Il est arrivé en face d'elle et il a crié « Saya ! » à s'en briser les cordes vocales pour couvrir le sinistre bruit de la cloche du passage à niveau et le vacarme du train qui arrivait, soudain conscient de ce qu'elle s'apprêtait à faire.

Elle l'a entendu au moment où elle basculait sur la voie et elle a tourné son visage vers lui à l'instant où le train l'a happée. Il a cru lire dans son regard une étincelle de bonheur indicible et de plénitude infinie quand elle l'a reconnu. C'est la dernière image qui s'est imprimée dans son cerveau. Il a fermé les yeux et il a entendu l'abominable bruit mou de l'impact qu'a couvert le coup de trompe désespéré de la motrice.

Je suis resté cloué sur mon siège, comme aspiré par une force invincible qui cherchait à m'ensevelir. Je ne pouvais détacher mon regard de Jinwaki, recroquevillé en position de fœtus, la tête dans les genoux, les coudes recouvrant son crâne. J'avais devant moi l'image du malheur absolu, de la souffrance la plus abyssale. J'avais cru toucher à l'essence du désespoir deux ans plus tôt lorsque j'avais découvert ce que le destin avait fait à ma vie à mon insu. À Kobe cette nuit-là, dans l'atmosphère enfumée d'un bar anonyme, je me suis rendu compte que sa cruauté n'a pas de bornes.

Rempli d'une immense compassion, j'ai posé ma main sur l'épaule de Jinwaki.

« Jinwaki San, m'entendez-vous ? Vous n'êtes pour rien dans cette affreuse histoire. Vous avez été le jouet d'une suite de funestes hasards, d'un enchaînement cruel d'incidents dont vous ne pouvez assumer la responsabilité. Il m'est arrivé quelque chose de similaire, il y a bien longtemps. Nous sommes des marionnettes entre les mains du destin. Quand il nous prend dans ses rets, nous ne pouvons lui échapper. Jinwaki San, nous allons rentrer à l'hôtel. Je vais appeler un médecin de mes amis, il vous donnera un sédatif. Demain sera un autre jour. Nous envisagerons ensemble ce qu'il convient de faire. »

Il a fini par se redresser. Son visage était étrangement lisse, comme si cette histoire avait effacé ses traits. J'ai demandé l'addition. Il m'a dit qu'il avait besoin de prendre l'air et qu'il m'attendrait dehors. Il a récupéré son manteau et il est sorti du bar, refusant que les hôtesses le raccompagnent.

Je suis allé aux toilettes. Je me suis regardé dans le miroir au-dessus du lavabo. J'avais une sale gueule. Mes yeux étaient injectés de sang. Les effets conjugués de cette terrifiante histoire, du mal au crâne qui me tenaillait et de la quantité d'alcool absorbée, sans doute. Mon costume était imprégné d'une odeur de tabac froid écœurante. J'ai regardé ma montre. Il était quatre heures du matin.

La patronne du bar est venue me saluer pendant que je payais.

« Ça ira ? m'a-t-elle demandé. Votre ami avait l'air bouleversé.

– Il vient de perdre un être cher, ai-je éludé. Il faut bien que le travail de deuil se fasse. »

Elle a acquiescé avant de rameuter deux ou trois hôtesses qui m'ont raccompagné en bas de l'immeuble. Il avait plu. Les pneus des voitures qui passaient chuintaient sur l'asphalte mouillé. Jinwaki n'était nulle part. Je l'ai cherché et j'ai fini par voir sa silhouette à la lueur des réverbères tout au bout de l'avenue. Il marchait au milieu de la chaussée, indifférent aux véhicules qui klaxonnaient et zigzaguaient pour l'éviter. Il avançait très vite, avec une vitalité et un aplomb surprenants pour quelqu'un qui avait bu autant.

Je l'ai appelé, mais il ne m'a pas entendu ou il n'a pas voulu m'entendre. Imperturbable, il a continué à marcher obstinément droit devant lui.

C'est la dernière fois de ma vie que je l'ai vu.

Les hôtesses ont hélé un taxi. Le temps que je les salue, que j'explique au chauffeur que je voulais rattraper un ami, il avait disparu. Nous avons roulé sur l'avenue pour le rejoindre mais nous ne l'avons pas trouvé. J'ai demandé au chauffeur de sillonner les rues donnant sur la rivière. En vain. Au bout d'une demi-heure, je suis rentré à l'hôtel. Je pensais qu'il avait fini par y retourner. Il n'y était pas. Plus tard dans la matinée, il n'était toujours pas revenu. J'ai prévenu la police.

On a retrouvé son corps trois jours plus tard dans un bassin du port dans lequel se jette la rivière Shinkawa. Rien n'indiquait qu'il s'y était précipité de son plein gré. Il avait pu glisser sur les pavés gras de la berge, tomber à l'eau et se noyer. La police m'a interrogé. Elle a rendu visite aux témoins que je lui ai indiqués, aux hôtesses du bar, au chauffeur de taxi, au personnel de l'hôtel. Bien entendu, les charognards de la presse à sensation se sont emparés de l'histoire, mais personne n'a fait le lien entre la noyade de Jinwaki et le suicide d'une lycéenne à la gare de Kita Kamakura.

Il y a quinze jours, je me suis rendu aux funérailles de Jinwaki. Il y avait beaucoup de monde. J'ai déposé une enveloppe contenant de l'argent à la réception et j'ai rejoint la file de gens qui progressait lentement vers l'estrade sur laquelle était exposé le cercueil de Jinwaki, dans l'allée, entre des rangs de chaises où étaient assis les relations, les amis, la famille du défunt. Au premier rang se tenaient sa femme et ses deux enfants, très droits dans leurs vêtements de deuil, épaule contre épaule, masse compacte que le chagrin soudait. Je me suis incliné pour les saluer et j'ai murmuré quelques mots de condoléances. Mon regard a croisé celui de Kaori. Elle était ravagée par le malheur mais je l'ai trouvée bien plus jolie que je ne l'avais imaginé. Son chignon rehaussait la beauté de ses traits, ses pommettes hautes, l'ovale de son visage, le teint clair de sa peau.

Je me suis recueilli devant le cercueil de Jinwaki. J'ai procédé au rituel, pris trois pincées d'encens que j'ai portées à hauteur de mon visage avant de les déposer dans le brûle-encens. J'ai donné un bref coup de maillet sur la coupelle de bronze posée sur un coussin. J'ai joint les mains, j'ai prié un instant et je me suis incliné. Avant de repartir, j'ai de nouveau salué Kaori et les enfants.

J'allais monter dans ma voiture, dont mon chauffeur avait ouvert la portière, quand un homme m'a interpellé :

« Monsieur le président ! Monsieur le président, je suis le cousin de Jinwaki. Sa femme m'a prié de vous demander d'accepter de la recevoir dans les jours qui viennent. Elle est consciente de l'effronterie de sa requête et vous supplie de pardonner son impudeur, mais elle a des choses importantes à vous dire.

– Bien sûr. Dites-lui que je la verrai volontiers dès qu'elle se sentira en mesure de se déplacer » ai-je répondu en saluant l'homme.

Kaori est venue me voir une semaine plus tard. Elle m'a demandé si je pouvais fermer la porte de mon bureau. J'ai prévenu ma secrétaire que je ne voulais pas être dérangé.

« Je vous prie de me pardonner, mais ce que j'ai à vous dire va me prendre un peu de temps. Jinwaki ne s'est pas noyé par accident, a-t-elle déclaré. Il s'est volontairement jeté dans le port de Kobe. Il a laissé un message sur mon téléphone portable avant de se suicider. Je venais de rentrer à Kita Kamakura. Cela faisait plus d'un mois que nous avions quitté la maison. Ma colère était tombée. J'étais saisie de remords. Après tout, je n'avais moi-même pas été irréprochable et la culpabilité me rongeait. Si vous m'y autorisez, j'aimerais vous raconter ma version des choses. Vous êtes la dernière personne à qui il ait parlé. Il a formulé le souhait que je vous rencontre. »

J'ai regardé cette femme élégante qui tordait un mouchoir entre ses mains.

« Je vous en prie, ai-je dit.

– J'étais engoncée dans un petit monde étroit. Je voguais entre la méchanceté de ma belle-mère grabataire, l'indifférence de ma fille, le mutisme de mon garçon, l'affection un peu malsaine que je portais à mon petit chien. Cela m'a empêchée de comprendre ce que vivait mon mari pendant que je vaquais à mes occupations futiles. Tant que je ne me serai pas confessée, je crains que l'âme de Jinwaki n'erre sans possibilité de repos. »

Alors, elle a commencé à me raconter son histoire…

Avant de partir, Kaori m'a confié l'enveloppe que Saya lui avait envoyée. J'ai lu le Journal de la jeune fille en une soirée, calfeutré dans le bureau isolé du pavillon de thé de notre maison à Kamakura. J'ai fait défiler la somme impressionnante de messages de Jinwaki stockés dans sa clef USB et dans son portable. J'en ai décompté plus de mille cinq cents. Il y en a de très brefs et de très longs. Certains sont très romantiques, d'autres d'un érotisme torride. J'ai regardé le tatouage semblable à un fœtus dans son liquide amniotique. Le personnage des bandes dessinées qui ont bercé mon enfance a perdu ses couleurs. Je n'ai pas encore décidé ce que je vais faire de cette macabre relique. Il me semble que la jeter serait une insulte faite à la mémoire de Saya. Je ne me vois pas non plus la garder au fond d'un tiroir.

J'ai passé la fin de la semaine à retranscrire le plus fidèlement possible ce que Jinwaki dans le bar de Kobe et Kaori dans mon bureau m'ont raconté. Hier, j'ai découpé les trois récits pour les recomposer dans l'ordre chronologique le plus vraisemblable. J'ai fait de mon mieux pour que cette polyphonie ne soit pas cacophonique. Le résultat est devant moi, sous la forme d'un bloc de deux cent vingt-trois feuillets de format A4 en Times New Roman de corps 12 que je viens de relire. Il y a des trous et quelques incohérences, mais dans l'ensemble je crois que je suis parvenu à reconstituer un témoignage fidèle de ces trois vies intimement imbriquées qui ont évolué dans le même espace et dans le même temps sans parvenir à se trouver.

Je ne sais pas ce que je vais faire de ce manuscrit.

La pénombre a envahi le salon. Les arbres du jardin, le lilas des Indes aux branches tendues vers le ciel en une supplique griffue, les érables impassibles, le bosquet de bambous adossé à la montagne, semblent vouloir pénétrer dans la pièce par les vastes baies vitrées. Je n'ai pas encore éclairé les lampadaires.

Le destin de Jinwaki, de Kaori et de Saya aurait-il été autre s'ils n'avaient pas été japonais ? Quel aurait été le dénouement de cette histoire s'ils avaient été français ou américains ? La tragédie qui les a frappés est-elle parée d'atours plus hideux dans ce pays qu'ailleurs ? Saya, plus encore que Jinwaki, trouble mon esprit. Cette adolescente cynique et désabusée, solitaire et lucide, anachronique par son physique, en décalage pour avoir vécu à l'étranger, était-elle vouée à l'échec dans son pays ? J'aimerais croire que, à l'instant où elle a reconnu Jinwaki sur le quai alors qu'elle basculait vers la mort, elle a trouvé le bonheur suprême de ces amantes qui se jetaient du haut des chutes de Kegon * parce qu'elles savaient qu'elles avaient atteint un degré de félicité qui ne se répéterait jamais.

Les questions qui encombrent mon esprit sont tonitruantes au crépuscule qui descend sur Kamakura. Je ressens soudain le besoin de remplir le silence. Je me lève et je me dirige vers le meuble où le matériel stéréo et mes disques compacts sont rangés.

Mécaniquement, je choisis un CD dans un tiroir, j'introduis la galette dans l'appareil, je sélectionne une plage de musique et j'appuie sur la touche de lecture.

La voix céleste de Chérubin monte dans la nuit : « *Voi, che sapete che cosa è amor...* »

Vous qui savez ce qu'est l'amour...

Et j'ai la réponse à mes questions.

Saya peut reposer en paix.

Kamakura, dimanche 1er mars 2009

* Endroit célèbre pour ses suicides de couples.